VIDA EM
Sintropia

DAYANA ANDRADE & FELIPE PASINI

VIDA EM Sintropia

AGRICULTURA SINTRÓPICA DE
ERNST GÖTSCH EXPLICADA

© Dayana Andrade e Felipe Pasini, 2022
Todos os direitos desta edição reservados à Editora Labrador.

Coordenação editorial Pamela Oliveira
Assistência editorial Leticia Oliveira
Projeto gráfico, diagramação e capa Amanda Chagas
Preparação de texto Iracy Borges
Revisão Mauricio Katayama
Imagens de capa Matheus Nunes Augustinho Santos

Dados Internacionais de Catalogação na Publicação (CIP)
Angélica Ilacqua CRB-8/7057

Andrade, Dayana
Vida em sintropia : agricultura sintrópica de Ernst Götsch explicada / Dayana Andrade, Felipe Pasini.
São Paulo : Labrador, 2022.
256 p.

ISBN 978-65-5625-278-0

1. Agricultura 2. Götsch, Ernst - 1948 I. Título II. Pasini, Felipe

22-5411 CDD 630

Índice para catálogo sistemático: 4ª reimpressão – 2024
1. Agricultura

Labrador
Diretor-geral Daniel Pinsky
Rua Dr. José Elias, 520, sala 1
Alto da Lapa | 05083-030 | São Paulo | SP
contato@editoralabrador.com.br | (11) 3641-7446
editoralabrador.com.br

A reprodução de qualquer parte desta obra é ilegal e configura uma apropriação indevida dos direitos intelectuais e patrimoniais dos autores. A Editora não é responsável pelo conteúdo deste livro. Os autores conhecem os fatos narrados, pelos quais são responsáveis, assim como se responsabilizam pelos juízos emitidos.

"*Vida em Sintropia* navega entre o passado e o futuro, o Brasil e o mundo, a razão e a emoção, a ciência e o amor. Melhor ainda é saber que Dayana e Felipe escrevem o que pensam e agem como escrevem e, ao fazê-lo, renovam nossa fé na vida."

Dr. Fabio Scarano, *ecólogo*

"A arte da comunicação encontrou interlocutores singelos dos fundamentos da sustentabilidade na prática milenar da agricultura. A obra *Vida em Sintropia*, de Dayana Andrade e Felipe Pasini, é interdisciplinar, assim como são as questões mais importantes e urgentes da Terra. Com argumento, propriedade e poesia ecológica, os autores revelam a razão para promover a vida em todas as formas pelas quais ela se manifesta e potencializa energia."

Dra. Ana Petry, *ecóloga*

Agradecimentos

Agradecemos o voto de confiança e o suporte fundamental de Flora Keller.

Agradecemos o acolhimento afetuoso de Karen de Vries, Ryan Botha e Hansjorg, o otimismo encorajador de Jan-Gilbert Schultze, a torcida apaixonada de Edmara Barbosa e as leituras atentas e generosas de Ana Petry, Antonio Donato Nobre e Fabio Rubio Scarano.

Agradecemos ao Instituto de Biodiversidade e Sustentabilidade da Universidade Federal do Rio de Janeiro (NUPEM/UFRJ), sede do Programa de Pós-Graduação em Ciências Ambientais e Conservação (PPG-CiAC), onde desenvolvemos nossas pesquisas de mestrado e doutorado cujos resultados ajudaram a compor parte do conteúdo deste livro.

Agradecemos a Ernst Götsch pelos tantos anos de ensinamentos e pela esperança ativa que suas ideias inovadoras oferecem para a humanidade.

Sumário

Prefácio 13

Introdução 15

PARTE 1
Sobre respeitar a natureza 17

O que a natureza quer ser 19
Fábrica de desertos 34
A lição do pousio 43
Sintropia — Fluxo de recursos 50

PARTE 2
A Agricultura Sintrópica de Ernst Götsch 65

Um quebra-cabeça 4D 67
   Grandes sistemas — Sistemas de colonização,
   acumulação e abundância.. 68
   Sucessão natural — As espécies no tempo 81
   Estratificação — As espécies no espaço 89
   Sucessão e estratificação juntas — Os efeitos
   dessa coordenação... 97
Recuperação pelo uso — A restauração sintrópica 101

PARTE 3
Reinterpretando conceitos conhecidos 107

Pragas e doenças — Os agentes de otimização 109
Entre *greenings* e vassouras-de-bruxa 115
Guerra contra o inimigo (de quem?) 117
Adubação e irrigação — A muleta que cria a debilidade ... 120
Podas drásticas — Floresta não é museu 130
Nativas e exóticas — Medo de fotossíntese 138
O que há de nativo nas nativas e de exótico nas exóticas?.... 144
Nativa de onde? 146
Ervas daninhas — A capina é a colheita 148
Relação predador-presa — A fome é um meio 156
Lobo do bem ou lobo do mal? 159

PARTE 4
Amor, prazer, encantamento e ética 163

A caixa de uma ferramenta só 166
A chave (do nosso entendimento) das relações 169
Sistema inteligente 172
Amor cego, egoísta ou subversivo 175
Indivíduo ocidental moderno, muito prazer 179
Que prazer é esse? 180
Cumprimento da função 183
Qual é a vida que vale a pena ser vivida? 184

Uma herança que prescinde de testamento **187**

Quando pisamos no acelerador **193**

Fé cega, tecnologia afiada **196**

Mais uma vez, amor **201**

Ouvir outras vozes **206**

Reconhecer de onde partimos **208**

O que nos move e o que nos comove **213**

ANEXO 1:
Para que inventar outro nome? 219

Agrofloresta e agroecologia 221

Permacultura 226

Agricultura regenerativa 228

Agricultura orgânica 231

Agriculturas tradicionais 238

Sustentabilidade 240

Afinal, qual é a resposta definitiva? 242

ANEXO 2:
Princípios da Agricultura Sintrópica
por Ernst Götsch 245

"TAO" para nossa compreensão da vida (alternativa
ao nosso conceito atual, no que diz respeito à vida) 247

Prefácio

Este livro nos leva para dentro do laboratório do casal Dayana Andrade e Felipe Pasini, que, há uma década e meia, documentam os meus trabalhos. Documentam, estudam e testam, também de mãos próprias, produzindo comida para si e, com outros, conseguem transmitir a matéria e entusiasmar tanto profissionais quanto leigos.

Com o mestrado dele e o doutorado dela, ambos avaliados com excelência, ajudaram a dar entrada dos meus conceitos no mundo científico. Paralelo a isso, levaram e levam a mensagem para o mundo mediante filmes e na consultoria ambiental de telenovelas de grande impacto cultural, como *Velho Chico* e *Pantanal* da TV Globo.

De fato, são parceiros no caminho de busca por uma forma de fazer agricultura que a transforme, de estigma de degradação de solos e dos ecossistemas, em um vetor benéfico tanto para a humanidade quanto para os submetidos às nossas interações (plantas, animais e todos os ecossistemas).

Fica o meu grande agradecimento aos autores por terem se aventurado a abarcar e investir com todos os seus esforços na nossa busca por um caminho de volta ao paraíso.

Ernst Götsch

Introdução

Procuramos compartilhar neste livro tudo o que aprendemos com Ernst Götsch sobre a Agricultura Sintrópica e toda a reflexão que dela derivou. Falaremos de técnica, de filosofia e de casos reais. Trataremos de diálogos possíveis e de novas fronteiras cognitivas a serem experimentadas. Dentre reconhecimentos e estranhamentos, imaginamos que cada leitor vai encontrar uma forma pessoal para acessar essas ideias. As relações que cada um vai fazer entre a Agricultura Sintrópica e seus próprios repertórios serão imensamente diversas. A maneira pela qual a mensagem será recebida, naturalmente, foge ao nosso controle. Porém, o fato de que as ideias aqui expressas se manifestam materialmente no campo nos conforta, pois, em meio a plantios e colheitas, pessoas com os mais variados percursos de vida, com diferentes bagagens de estudos, crenças e expectativas se encontram plantando comida e regenerando ecossistemas. Toda a discussão proposta neste livro só é possível porque há pessoas fazendo isso, por diferentes caminhos e de diferentes maneiras. Todas investindo suas vidas e seus talentos na busca por soluções para os desafios do nosso tempo. Seja da base para o topo, como fazem os movimentos populares, seja de cima para baixo, com articulações políticas e incentivos, ou ainda transversalmente, com a miríade de movimentos de transição que existem ao redor de todo o mundo. Contrariando a expectativa do *status quo*, movimentos de transformação sempre existiram. Este livro não tem a pretensão de trazer respostas definitivas. Mas tem a ousadia de fazer o convite para que nos engajemos em vidas em sintropia.

PARTE 1

Sobre respeitar a natureza

O que a natureza quer ser

Um dos lugares-comuns do universo ambientalista e das agriculturas identificadas como sustentáveis e regenerativas é dizer que precisamos adotar práticas que "respeitem a natureza". Essa afirmação, aparentemente trivial, pressupõe que sabemos o que é a natureza, o que ela quer ser e, por consequência, o que devemos fazer (ou deixar de fazer) para respeitá-la. Investigar o que está por trás dessa nossa insuspeita virtude é a primeira reflexão que propomos com este livro.

Respeitar significa ter em grande consideração e estar de acordo, seguindo a mesma orientação. Por isso, importa questionar qual seria essa orientação. Vale a pena saber o que, afinal, a natureza "quer ser". Não para lhe atribuir vontade ou desígnio, mas sim para checarmos se estamos observando genuína e atentamente qual é a tendência de cada ambiente natural com o qual interagimos. Só assim é possível se falar em respeito.

Estudando o discurso e a prática de Ernst Götsch, o criador da Agricultura Sintrópica, percebemos que é a essa questão que ele se refere quando afirma que "busca cocriar agroecossistemas parecidos em sua forma e em suas dinâmicas com os ecossistemas naturais e originais de cada lugar onde faz uma intervenção". A princípio, isso parece remeter a uma simples postura conservacionista. Mas, para entender o que está no centro dessa abordagem, devemos dedicar algum tempo para investigar mais a fundo o que significa para Götsch **forma**, **dinâmica** e **ecossistemas naturais**, para depois ainda entender o que isso tudo tem a ver com agricultura. Muito mais que uma lista de espécies a proteger, a proposta de Ernst vincula sua intervenção ao conhecimento das regras de funcionamento originais de cada ambiente.

Estivemos com Ernst pela primeira vez em 2006. Diante da área que seria cultivada em um curso na região serrana do Rio de Janeiro, ele disse: "Não estamos no mar, não estamos no deserto, não estamos nos polos. Estamos em uma floresta. Então nosso plantio precisa funcionar como uma floresta". Nos dias seguintes, plantamos verduras, grãos, raízes, acompanhados de todo tipo de árvores. Bem diferente do que estávamos acostumados, o cultivo era feito em uma densidade quase incompreensível. Nos mesmos 20 cm² de solo depositamos sementes e mudas de rúcula, alface, feijão, abóbora, inhame, tomate, milho e também jaca, banana, café, guapuruvu, jabuticaba, cítricos, manga, palmeira juçara, ingá, abacate, cedro, jequitibá. Ao redor, ainda plantamos duas estacas de mandioca. Aquilo parecia um contrassenso. Nosso entendimento sobre natureza e agricultura nos dizia que haveria um conflito por espaço, luz, água e nutrientes. Será?

Naquele tempo, o trabalho do Ernst era conhecido como Agrofloresta Sucessional, portanto, como o nome sugere, o que justificava tamanha aglomeração é que as plantas selecionadas cresceriam em velocidades distintas. Cada uma delas pertence a um passo na sucessão natural. Naquele cultivo havia espécies de todos esses passos: desde a rúcula, que tem um ciclo de 20 a 30 dias e cresce muito rápido; verduras, legumes e raízes que vivem até 3 anos; árvores frutíferas, que vivem entre 5 e 100 anos; até um altíssimo jequitibá, que cresce lentamente e pode viver por séculos. E mais: dentro de cada etapa sucessional eram previstos consórcios de plantas, pois umas têm alturas e necessidades de luz diferentes das outras. Por exemplo, o milho, a abóbora, o tomate e o inhame são do mesmo consórcio (produzem a partir de 4 a 6 meses em média), mas cada planta ocupa um "andar" ou estrato vertical distinto. Entre a abóbora que se espalha próxima ao solo até o milho que se estica para o alto, ainda há espaço para acomodar o inhame e o tomate. Por isso, podiam crescer juntos. Da mesma forma, o café, a banana e o cajá também coexistiriam futuramente uns sobre os outros, abrindo suas copas em andares distintos. Estávamos diante de uma agricultura que se propunha a montar um quebra-cabeça de plantas no tempo e no espaço, simulando a dinâmica de uma floresta, onde plantas naturalmente se distribuem em estratos ao longo da sucessão ecológica.

Ainda que nosso plantio não fosse exclusivo de espécies nativas, o que mais importava, segundo o Ernst, era mimetizar a forma como o conjunto da vida organizava e processava sua biomassa naquele ambiente. Estávamos no bioma Mata Atlântica, em uma região onde há poucos séculos existia uma floresta tropical. Portanto, para que nosso "respeito à natureza" fosse mais que uma crença para o conforto pessoal, nosso cultivo também deveria se comportar tal como aquela floresta. Caso o pasto degradado, no qual realizávamos a atividade, ficasse abandonado e livre da ação de animais domesticados por mais tempo, ainda que sem nossa intervenção, cedo ou tarde a floresta reapareceria do mesmo jeito. Primeiro cresceriam ervas e arbustos que chamamos de espontâneos. Com o tempo, sementes de árvores e palmeiras seriam trazidas pelo vento, por pássaros, pequenos roedores e morcegos. Depois chegariam mamíferos maiores com seus frutos e castanhas. E assim, ciclo após ciclo de comunidades de plantas e animais, a floresta reocuparia o espaço. Ali, a natureza "quer ser" floresta. Trata-se de um impulso, uma tendência inevitável do lugar. Por isso, se nossa área recém-cultivada contasse apenas com canteiros de grãos e vegetais de ciclo curto — nativos ou não, orgânicos ou não —, iniciaríamos um cabo de guerra com o ambiente. A cada remoção de ervas espontâneas, a cada retrabalho de solo para repetir os cultivos, estaríamos contrariando, retendo, impedindo que a natureza se expressasse tal como ela gostaria, ou seja, tal qual sua intrínseca tendência.

Ao longo dos anos seguintes, vimos essa mesma premissa defendida por Ernst ser aplicada a outros ecossistemas menos óbvios, como as zonas de clima semiárido, pradarias, regiões savanizadas e até desertos. Ernst insistia que, não fosse a intervenção humana, esses lugares também seriam ocupados por uma vegetação diversa e estratificada que inclui árvores — ou, mais precisamente, espécies perenes lenhosas. Na Mata Atlântica é relativamente fácil chegar a essa conclusão. Nem tanto pelo pouco que restou de sua vegetação original, mas porque se trata de um bioma com um histórico de exploração intensa mais recente se comparado a outras partes do mundo. Apesar da degradação crescente dos últimos cinco séculos, partes da Mata Atlântica ainda possuem condições de umidade, solo e, mesmo que parcialmente, matrizes genéticas que permitem a uma área abandonada recuperar sua arquitetura original. Ainda que sob crescente ameaça, essa resiliência está presente em locais onde o pacote civilizatório de exploração colonial demorou a chegar. Mais difícil, no entanto, é identificar "o que a natureza quer ser" em regiões que convivem com alterações provocadas por sociedades agropastoris há milhares de anos, a ponto de não haver registros históricos ou memórias de sua versão original. Felizmente, a ciência evoluiu bastante nas últimas décadas. Cruzamentos de dados de satélite com achados arqueológicos nos revelam como muitos ambientes se expressavam antes de serem descaracterizados por nossos antepassados pastores e agricultores. Para encontrar essas pistas, os pouco mais de 4 mil anos que separaram o fim do último período glacial e o início da intensificação dos impactos humanos negativos nos ecossistemas, ou seja, entre 12 e 8 mil anos atrás, são nossa janela de tempo mais confiável.

Há 12 mil anos, o planeta despediu-se da última glaciação para entrar em uma fase de estabilidade climática que dura até hoje[1]. Com o aquecimento e o degelo, o nível do mar subiu, em média, 120 metros. Assim, a água que escoa dos continentes passou a ficar mais represada nas bacias hidrográficas, rios expandiram suas áreas alagáveis, lagos aumentaram de volume e, com a elevação da temperatura, mais vapor de água e CO_2 concentraram-se na atmosfera. As árvores e os animais adaptados a essas condições puderam deixar seus refúgios e lentamente alastraram-se pelas tundras, estepes e savanas geladas, ocupando praticamente todos os continentes. Não foi a primeira vez que isso aconteceu. Apenas no último milhão de anos a Terra passou por períodos glaciais e interglaciais (entre glaciações) a cada 100 mil anos, em média, sempre alternando sua vegetação em resposta ao câmbio de condições. Nas etapas mais frias, o clima ficava seco, boa parte do hemisfério norte congelava e havia muitas áreas abertas e desérticas. Nas fases mais quentes e úmidas, grandes mosaicos florestais dominavam o globo. Em nosso atual período interglacial não foi diferente. Florestas densas se espalharam por todos os continentes tão logo o clima aqueceu, tendo atingido seu ponto máximo de ocupação entre 8.200 e 6.000 anos atrás[2]. Acontece que, desde então, essa tendência foi interrompida. Não mais em

---

1   Holoceno é a atual época do período Quaternário que se iniciou há cerca de 11.650 anos, após o último período glacial, que se concluiu com o recuo glacial holocênico.
2   WOODBRIDGE, J.; FYFE, R. M.; ROBERTS, C. N. et al. European forest cover since the start of Neolithic agriculture: a critical comparison of pollen-based reconstructions. *Past Global Change Magazine*, v.26, n.1, 2018, p.10-1.

resposta a um inevitável fenômeno climático, mas por uma inédita e intensa influência humana.

Com a exceção dos povos que, apoiados em cosmologias específicas, estabeleceram relações circunstancialmente equilibradas com a floresta (falaremos mais sobre isso no item "A lição do pousio" e na Parte 4), a ação das sociedades agrícolas de cuja linhagem descende a sociedade moderna na qual hoje vivemos resultou na diminuição progressiva da cobertura florestal. O estabelecimento de um estilo de vida baseado na agricultura e no pastoreio inaugurava uma trajetória que invariavelmente avançava sobre as florestas, com técnicas de uso de fogo e abertura de clareiras. Portanto, interessa-nos investigar como eram compostos os ecossistemas antes dessa intensificação dos impactos humanos.

Após o fim da última glaciação, estudos apontam que as florestas que se formaram no sul da Europa e norte da África contavam com carvalhos caducifólios (*Quercus* spp.), freixos (*Fraxinus* spp.), terebintos (*Pistacia terebinthus* L.), tramazeiras (*Sorbus aucuparia* L.) e os grandes ulmeiros (*Ulmus* spp.). Com a chegada das tribos de pastores, entre 7.000 e 7.700 anos atrás, a paisagem foi drasticamente alterada. Por onde passavam, esses grupos queimavam árvores para favorecer pastos, o que aos poucos levou à redução de boa parte da cobertura florestal original. Além de erosão de solos, essa interação intensificou as secas de verão e favoreceu o estabelecimento de árvores menos exigentes, adaptadas à aridez, como a azinheira (*Quercus ilex* L.), medronheiro (*Arbutus unedo* L.) e o aderno (*Phillyrea latifolia* L.). Os matagais mediterrânicos — formações majoritariamente arbustivas e hoje percebidas como prístinas — também são consequências desse desmatamento e estão associados à ação destrutiva de humanos de milênios atrás[3].

3 GEDDES, D. S. Neolithic transhumance in the Mediterranean Pyrenees. *World Archaeology*, v.15, n.1, 1983, p.51-66.

Naturalizamos a versão alterada de muitas paisagens do mundo, classificando-as como nativas. As florestas originais que se formaram na bacia do Mediterrâneo já não existem na memória humana[4]. Desde que os primeiros pastores entraram na península Ibérica de mãos dadas com o fogo, com animais domesticados e sementes de grãos, ainda iriam se passar 6 mil anos até a chegada dos fenícios, 7 mil até os romanos[5,6]. Nessa escala de tempo, a ocupação moura no século VII ou a Reconquista Cristã no século XV soam como eventos recentes. Ainda que cada povo carregasse seus costumes, idiomas e religiões, todos compartilhavam uma mentalidade comum, forjada pela agricultura de grãos e pelo pastoreio — práticas essencialmente associadas à derrubada e queima de florestas, e a um apetite sem fim por novos territórios.

Mesmo desertos que julgamos naturais, hoje sabemos, devem sua atual condição também à ação de nossos antepassados. Por mais que seja difícil acreditar, o lugar no qual hoje se encontra o maior deserto do mundo também virou floresta após a última glaciação. É senso comum a crença de que a desertificação do Saara, que aconteceu entre 8.000 e 4.500 anos atrás, tenha sido consequência de uma mudança habitual da órbita da Terra (precessão) que desencadeou uma série de eventos climáticos, e que deu fim ao chamado Período Úmido Africano. No entanto, estudos recentes desconfiam que o fenômeno astronômico sozinho seria

---

4   BIRKS, H. J. B.; TINNER, W. Past forests of Europe. In: SAN-MIGUEL-AYANZ, J.; DE RIGO, D.; CAUDULLO, G. et al. (Eds.). *European Atlas of Forest Tree Species.* Publ. Off. EU, Luxembourg, 2016.

5   ZEDER, M. A. Domestication and early agriculture in the Mediterranean Basin: Origins, diffusion, and impact. *Proceedings of the National Academy of Sciences of the United States of America,* v.105, n.33, 2008, p.11597-604.

6   KIRBY, K. J.; WATKINS, C. *Europe's changing woods and forests: from wildwood to managed landscapes.* CABI, Wallingford, 2015.

insuficiente para provocar uma mudança tão drástica em uma região tão vasta e diversa. Assim, sugerem novos cenários que incluem o impacto das atividades humanas no norte do continente[7]. A ocupação do Saara se intensificou a partir de 11.000 anos atrás e chegou ao seu máximo há 7.500 anos, quando os hábitos de caça e coleta foram substituídos por uma economia baseada na pecuária. Vários sítios arqueológicos descobertos na região apresentam uma correlação inquestionável entre a diminuição de pólen arbóreo e o aumento gradual de pólen de plantas domesticadas junto a vestígios de criação animal[8]. Esse conjunto de evidências sugere que o impacto humano naquela paisagem é mais antigo do que se pensava. Em contraste à visão ortodoxa de que nossa espécie foi mera espectadora (e vítima) da desertificação, o corte e a queima da vegetação original em virtude da expansão do pastoreio e de técnicas agrícolas teriam acelerado o fim do Período Úmido Africano.

As árvores também faziam parte da paisagem atualmente identificada como um dos maiores ecossistemas pastoris do mundo. Escavações no planalto tibetano[9,10] demonstram que, pouco depois do aquecimento da Terra, arbustos concentraram-se nas margens dos rios. Em seguida, coníferas e bétulas começaram a se espalhar.

---

7   WRIGHT, D. K. Humans as agents in the termination of the African humid period. *Frontiers in Earth Science*, v.5, 2017.

8   Escavações recentes em Ifri Oudadane (Marrocos) encontraram o registro mais antigo de lentilha cultivada (~ 7.600 AP). — MORALES, J.; PÉREZ-JORDÀ, G.; PEÑA-CHOCARRO, L. et al. The origins of agriculture in North-West Africa: macro-botanical remains from Epipalaeolithic and Early Neolithic levels of Ifri Oudadane (Morocco). *Journal of Archaeological Science*, v.40, n.6, 2013, p.2659-69.

9   SCHLÜTZ, F.; LEHMKUHL, F. Holocene climatic change and the nomadic Anthropocene in Eastern Tibet: palynological and geomorphological results from the Nianbaoyeze Mountains. *Quaternary Science Reviews*, v.28, n.15-16, 2009, p.1449-71.

10   MIEHE, G.; MIEHE, S.; KAISER, K. et al. How old is pastoralism in Tibet? An ecological approach to the making of a Tibetan landscape. *ScienceDirect*, v.276, n.1-4, 2009, p.130-47.

Há 8.300 anos, parte do platô se transformou em um mosaico de fragmentos de florestas e áreas de estepe com árvores. No entanto, a partir de 7.200 anos atrás, os primeiros grupos de pastores nômades começaram a criar trilhas na região e, entre 5.900 e 2.750 anos atrás, sua influência contribuiu para que o ambiente se transformasse em pastagens de *Kobresia pygmaea*, um tipo de junco perene de pequeno porte. Desde a intensificação do pastoreio e criação de rotas modernas de migração nômade, há 2.200 anos, a *Kobresia* tem sido aos poucos substituída por ervas anuais. A *Kobresia* é atualmente percebida como símbolo de uma paisagem nativa ameaçada e que inspira muitos esforços para sua preservação. Poucos se dão conta, no entanto, que a extensão de sua ocupação já foi consequência da alteração das paisagens originais. Tal como grande parte do planeta, o platô tibetano pode ser considerado uma paisagem cultural, moldada pela atividade humana, e que afetou a dinâmica do clima de monções da região. Ainda que tenha demorado alguns milênios, a influência dos seres humanos transformou um ecossistema diverso e complexo em pastagens de uma planta perene, e agora, em mais um passo no sentido da degradação, dá lugar às ervas anuais.

O caso da *Kobresia* tibetana incita uma questão socioecológica controversa. Até que ponto as interações humanas mediadas pelo fogo e pelo manejo de espécies domesticadas deveriam ser consideradas parte das dinâmicas ecossistêmicas? Quais seriam os indicadores que atestariam uma interação positiva, negativa ou equilibrada? Essa discussão se aplica a muitos outros ecossistemas no mundo.

No Brasil, há o acalorado debate sobre a interferência do fogo na paisagem do Cerrado. Parte das pesquisas se debruça sobre as manifestações ecológicas pós-incêndio, destacando o papel do fogo na floração, quebra de dormência de sementes, sincronização da frutificação e evoluções morfológicas adaptativas. Outras pesquisas fazem um monitoramento detalhado para investigar a proporção dos casos de fogo de origem natural e qual seria a influência dos incêndios antropogênicos, ou seja, de origem humana[11,12,13].

No Brasil não há vulcões ativos, portanto, fogo de origem natural sempre é decorrente de raios. A temporada de raios é também a temporada das grandes tempestades. No período úmido a vegetação verde está naturalmente menos propensa a pegar fogo, de modo que um eventual incêndio provocado por raios e seguido de chuvas tende a ser extinto antes de tomar grandes proporções. O fogo de origem humana, por outro lado, ocorre majoritariamente durante a estiagem, quando há maior concentração de vegetação seca, com alta inflamabilidade e alta combustibilidade — ou seja, um material que, além de pegar fogo com facilidade, também tem grande capacidade de sustentar esse fogo por muito tempo e, portanto, tende a se alastrar por grandes extensões. Outra diferença é que incêndios antrópicos costumam acontecer várias vezes em uma mesma área, enquanto o fogo causado por raios tem uma distribuição espaçotemporal que diminui as reincidências.

A vegetação do Cerrado apresenta uma variação que vai desde o **campo limpo**, com predominância de prado, passando pelo **campo sujo**, com formações de savana e maior densidade de árvores, até chegar ao **cerradão**, caracterizado por dossel con-

---

11 RAMOS-NETO, M. B.; PIVELLO, V. R. Lightning fires in a Brazilian savanna national park: rethinking management strategies. *Environmental Management*, v.26, 2000, p.675-84.

12 MEDEIROS, M. B.; FIEDLER, N. C. Incêndios florestais no Parque Nacional da Serra da Canastra: desafios para a conservação da biodiversidade. *Ciência Florestal*, v.14, 2004, p.157-68.

13 FIEDLER, N. C.; MERLO, D. A.; MEDEIROS, M. B. Ocorrência de incêndios florestais no Parque Nacional da Chapada dos Veadeiros, Goiás. *Ciência Florestal*, v.16, 2006, p.153-61.

tínuo, sub-bosque formado por pequenos arbustos, ervas e com poucas gramíneas[14]. Para justificar essa variedade de fisionomias, concorrem explicações baseadas na grande extensão do bioma, nas diferentes profundidades do solo, nas peculiaridades topográficas, mas também não se descarta o papel das interferências humanas tais como queima, corte seletivo e pastoreio[15,16]. O naturalista Peter Lund, que viveu no Brasil no início do século XIX, observava já em 1837 que as queimadas transformavam o cerradão em cerrados e campos limpos[17].

Outro exemplo intrigante é o dos Pampas gaúchos, bioma caracterizado como não florestal, dominado por vegetação campestre. Não existem dúvidas de que herbáceas e gramíneas de fato dominaram a região por milênios quando o clima era mais seco. Estudos de pólen confirmam que entre 42.840 e 11.500 AP[18] a região de Cambará do Sul, por exemplo, era dominada por pastagens e praticamente não havia árvores. No entanto, a umidade e a pluviosidade se intensificaram com o passar do

---

14 "O Cerradão apresenta dossel contínuo e cobertura arbórea que pode oscilar de 50% a 90%, sendo maior na estação chuvosa e menor na seca. A altura média do estrato arbóreo varia de 8 a 15 metros, proporcionando condições de luminosidade que favorecem a formação de estratos arbustivo e herbáceo diferenciados." — EMPRESA BRASILEIRA DE PESQUISA AGROPECUÁRIA. Cerradão — Embrapa. Disponível em: https://www.embrapa.br/cerrados/colecao-entomologica/bioma-cerrado/cerradao. Acessado em: jan. 2022.

15 FURLEY, P. A. The nature and diversity of neotropical savanna vegetation with particular reference to the Brazilian cerrados. *Global Ecology and Biogeography*, v.8, 1999, p.223-41.

16 PIVELLO, V. R. The use of fire in the Cerrado and Amazonian rainforests of Brazil: past and present. *Fire Ecology*, v.7, n.1, 2011, p.24-39.

17 COUTINHO, L. M. O bioma do Cerrado. In: KLEIN, A. L. (org.). *Eugen Warming e o cerrado brasileiro: um século depois*. São Paulo: Editora Unesp, 2002, p.77-92.

18 AP, sigla de **Antes do Presente**, se refere à marcação de tempo utilizada na Arqueologia, Paleontologia e Geologia que tem como referência para o **presente** o dia 1º de janeiro de 1950. Por conta do desequilíbrio na concentração química de alguns isótopos na atmosfera provocado pelos testes atômicos realizados durante a Segunda Guerra Mundial, o ano de 1950 foi escolhido como marcador para estabelecer as curvas de calibração nas datações com radiocarbono.

tempo, o que levou a um lento aumento da incidência de florestas de araucária ao longo de pequenos córregos, entre 11.500 e 4.320 AP. Em 1.100 AP já havia uma rede de florestas de galeria bem estabelecida. Mas não para por aí: entre 1.100 e 430 AP, foi registrada na área estudada uma forte expansão dessas florestas de araucária (sobretudo de *A. angustifolia* e *M. scabrella*) sobre a vegetação campestre[19].

No decorrer do mesmo período, o rastreamento dos vestígios de carvão, feito pelos mesmos pesquisadores, indicou a seguinte variação: incêndios eram muito raros na região entre 42.840 e 11.500 AP. O uso do fogo tornou-se mais frequente a partir de 7.400 AP com a ocupação de povos ameríndios. Em 1.100 AP, os vestígios de incêndios diminuíram nas zonas que se tornaram mais úmidas em virtude da expansão da floresta. No entanto, nas áreas ainda ocupadas por vegetação campestre, os incêndios continuaram frequentes. Mais tarde, com a colonização, foram introduzidos o gado e as plantas exóticas como o *Pinus*. Entre 1920 e 1935 inicia-se o corte e a diminuição de araucárias. De 1940 até os anos 2000, foi registrada uma redução drástica de pólen de *A. angustifolia* — de 41% para 2%. Ou seja, a floresta de araucária não apenas foi impedida de expandir, como agora regride em decorrência do desmatamento.

A pergunta que emerge, portanto, é: se a predominância de parte das pastagens dos Pampas for uma consequência das atividades humanas, como deveriam ser conduzidos os esforços de preservação e reflorestamento da região? Tendo em vista que a floresta de

---

[19] BEHLING, H.; PILLAR, V. D. Late Quaternary vegetation, biodiversity and fire dynamics on the southern Brazilian highland and their implication for conservation and management of modern Araucaria forest and grassland ecosystems. *Philosophical Transactions of the Royal Society B: Biological Sciences*, v.362, n.1478, 2007, p. 243-51.

araucária expandia, possivelmente trazendo ainda mais umidade, como devemos proceder sabendo que sua difusão foi interrompida por dinâmicas humanas (econômicas e sociais) ao longo do tempo? A questão, como sempre, é polêmica e divide opiniões.

Infelizmente, não é possível saber como seriam atualmente o Cerrado e os Pampas caso nunca tivessem sido expostos ao fogo, ao pastoreio e ao desmatamento provocados por seres humanos. Por isso o tema gera tanto debate. Diante da incerteza, não podemos também descartar a hipótese de que o avanço das florestas sobre os campos em virtude da mudança para um clima mais úmido foi interrompido, contribuindo para a manutenção de uma vegetação característica de clima mais seco.

Desde o início da agricultura e pastoreio até o presente, estima-se que, no mundo, impressionantes 100.000.000 km² de florestas foram perdidos pelas mãos humanas[20]. Trata-se de uma ferida gigantesca e persistente na pele do planeta. Atualmente, florestas cobrem apenas 31% dos continentes. Das que restaram, pouco mais de um terço é considerada floresta primária[21], ou seja, por volta de 10% do total. Em sua maior parte, o que conhecemos é uma versão desfigurada, fragmentada e disfuncional, se comparada ao potencial de uma regeneração integral.

O cientista Antonio Donato Nobre costuma explicar a resiliência dos ecossistemas com uma analogia bastante didática: o fígado humano é o órgão que mais sofre com o alcoolismo, ainda que tenha uma capacidade excepcional de se regenerar. Cada bebedeira abre uma ferida, deixa uma cicatriz, mas ainda

---

20   LEMMEN, C. World distribution of land cover changes during Pre- and Protohistoric Times and estimation of induced carbon releases. *Géomorphologie*, v.15, n. 4, 2009, p.303-12.

21   FAO & UNEP. *The State of the World's Forests 2020. Forests, biodiversity and people*. FAO & UNEP. Rome, Italy, 2020.

assim esse órgão consegue se recuperar e se manter funcional. O fígado aguenta centenas, até milhares de bebedeiras, mas chega a um ponto em que a intensidade das feridas e a quantidade de cicatrizes resultam em uma cirrose que, inescapavelmente, leva o corpo ao colapso. Muitos dos nossos ecossistemas já passaram desse ponto, enquanto outros estão a caminho.

Todos os organismos vivos possuem seus mecanismos de regeneração que independem de suas vontades. Existe uma integridade física e funcional para a qual tentam retornar quando passam por algum trauma. Um corte em nossa pele ativa o sistema nervoso autônomo e dá início a uma cadeia de eventos bioquímicos que estancam o sangramento e criam uma nova pele no lugar, sem que precisemos deliberar sobre isso. Nosso corpo tem as "instruções" de como reparar o dano para trazê-lo de volta à sua faixa ideal de funcionamento. Se ampliarmos essa lógica para os ecossistemas, eles também possuem suas instruções e faixas ideais de funcionamento para as quais tentam retornar diante de algum distúrbio. Para Viktor Schauberger (1885-1958), cuja vida e obra inspiram o discurso de Ernst Götsch, as formas e processos presentes na biosfera indicam a faixa ideal de ressonância que responde ao fluxo de energia que atravessa o planeta ininterruptamente. Schauberger chamou o ótimo desse funcionamento de **estado de indiferença dinâmica**[22]. Nesse estado, o planeta como sistema vivo expressaria sua melhor performance, sempre buscando se afastar de situações que desestabilizem essa condição.

---

[22] Schauberger também denominou essa condição ótima de trabalho de *temperatureless* (ausência de temperatura), que se assemelha ao conceito de homeostase. Por exemplo, esse estado é alcançado no ser humano quando a temperatura corporal está por volta de 36-37º C. Se algo nos tira dessa estabilidade, como uma febre, nossa performance é comprometida e o corpo se esforça para retornar ao estado ideal. Cada espécie tem sua faixa ideal de trabalho e temperatura. Coletivamente, a vida no planeta também possui um macroestado ideal de performance como resultado de seu comportamento coletivo.

Ainda estamos em um período interglacial. Se pararmos de provocar feridas no tecido da vida, o planeta será novamente ocupado por grandes mosaicos de vegetações biodiversas que incluem perenes lenhosas. Essa é a integridade funcional e atual expressão do comportamento coletivo da vida. Em alguns lugares a reabilitação é rápida. Chernobyl só precisou de poucas décadas de abandono após o acidente radioativo para transformar-se em uma das florestas mais biodiversas da Europa. Nos trópicos úmidos, a potência dessa tendência é percebida até em áreas urbanas. Se uma praça, uma quadra de esportes ao ar livre ou uma calçada são deixadas sem manutenção, em pouco tempo a floresta reclama seu território, força sua passagem em meio ao concreto. Onde a degradação é muito severa e antiga, como no Oriente Médio e em toda a bacia do Mediterrâneo, a regeneração pode levar centenas ou até milhares de anos. Para humanos, é muito tempo. Para a Terra, é menos que um piscar de olhos.

Apesar de nosso engajamento em provocar feridas na pele do planeta nos últimos 10 mil anos, os ambientes naturais mantêm latente sua tendência de se recompor. Essa ânsia contida é um princípio natural e inviolável, independe de nossas leis, culturas, moralidades e religiões. Até aqui, tentamos trazer exemplos que corroboram a hipótese de que mosaicos florestais começaram a expandir sobre os ambientes limpos e secos após a última glaciação, trazendo consigo umidade para os continentes (falaremos mais sobre isso na p.120, em "Adubação e irrigação"). Portanto, se sua sincera intenção é respeitar a natureza, sua agricultura não pode ignorar "o que a natureza quer ser".

Fábrica de desertos

Ernst Götsch se alinha com a hipótese de que o ser humano perdeu o habitat ao qual estava acostumado após o aquecimento do clima, há 12 mil anos. Para ele, alguns grupos não se adaptaram às florestas que avançaram sobre áreas abertas. Por isso, esforçaram-se para afastá-las e contê-las, no intuito de recriar as estepes com as quais conviveram por milhares de anos. A versão mais moderna do ser humano (*Homo sapiens sapiens*) entrou na Europa no meio do último período glacial, há aproximadamente 48 mil anos. Graças às suas habilidades coletivas, prosperou em um ambiente frio, seco e com poucas árvores. Nesse tempo ainda não havia agricultura, tampouco a criação de animais. Éramos essencialmente caçadores e coletores e vivíamos em grupos nômades. Diferentemente do que se imagina, a vida não era ruim. Em geral, caçadores e coletores precisavam de menos horas de "trabalho" para suprir suas necessidades se comparados aos futuros agricultores. Sua dieta também era melhor e mais variada. Existem muitas teorias — e pouco consenso — sobre os motivos que nos levaram a abandonar esse modo de vida para adotar o pacote tecnológico do Neolítico, que incluía a agricultura (sobretudo de grãos), criação de animais e urbanização. Seja como for, essa foi uma das mudanças mais drásticas que nossa espécie vivenciou, sem saber que aquilo também nos condenaria a um aflitivo conflito de interesses com a natureza. De um lado, nossos antepassados recém-iniciados na agricultura e no pastoreio. Do outro, um planeta que tentava virar floresta.

Para ilustrar essa cisão, Ernst Götsch costuma recorrer a duas parábolas. Uma delas se baseia no mito grego de Cronos, descrito por Platão (IV a.C.). Em sua interpretação, Ernst conta que o deus Cronos instruiu os seres humanos a ocupar o planeta e a buscar a felicidade. Havia uma única regra: as leis que regiam o macro-organismo, do qual faziam parte, eram dadas e não poderiam ser violadas. Nem a eles, deuses do Olimpo, era permitido alterar ou desobedecer essas leis. Após algum tempo, os seres humanos conspiraram: "e se fizéssemos nossas próprias leis? Seríamos mais poderosos que os deuses do Olimpo?". Ao tomar conhecimento da desobediência, Cronos desceu à Terra disposto a aniquilar aquela insolente espécie. Instantes antes, mudou de ideia. Em vez da morte instantânea, golpeou os seres humanos com seu machado, rachando-os ao meio e condenando-os a viver o resto de seus dias em uma agonizante busca por suas metades amputadas. A partir dali ficamos à deriva, incompletos, desconectados das leis universais.

A segunda parábola é a expulsão do paraíso descrita na Bíblia. Na leitura proposta por Ernst, essa passagem diz respeito a uma lição ecológica, na qual o ato de "comer o fruto da árvore do conhecimento do bem e do mal" simboliza a arrogância humana em ousar descumprir leis naturais. Deus, nessa parábola, fez crescer todo tipo de fruta boa no Jardim do Éden. Ao provar a única proibida, Adão e Eva condenariam a espécie humana à morte. Não era facultado à nossa espécie acessar o poder de criação. Ernst compara que, antes desse rompimento, os seres humanos "recebiam por estar", ou seja, sua simples existência na Terra lhes garantia tudo de que precisavam para viver bem, desde que respeitassem as leis divinas — entendidas, nesta interpretação, como as leis naturais. Ao desobedecê-las, os humanos não mais seriam acolhidos por uma natureza provedora, mas estariam fadados a lutar por sua sobrevivência. Desta vez, por meio do "suor de seu rosto" (Gênesis 3:19).

Ambos os casos simbolizam, na visão de Ernst, a angústia de uma espécie que se excluiu das regras de funcionamento do planeta, divorciou-se da natureza, e que agora se sente perdida em uma eterna busca por sentido. A partir dali, perdemos nosso privilégio de "receber por estar" e fomos sentenciados a lavrar a terra para sobreviver. Nessa lógica, a agricultura é o instrumento que nos permitiu burlar tais leis. Foi ela que nos iludiu com a pretensão de que podíamos moldar o mundo ao nosso gosto, segundo nossas próprias regras.

Não por acaso, os estudos sobre o surgimento da agricultura reconhecem uma correlação direta entre o início dessa atividade produtiva e diversas mudanças de ordem ecológica, social, econômica, cultural e tecnológica[23]. Registros arqueológicos dos principais centros de origem da agricultura revelam uma ocorrência repentina de padrões e práticas religiosas cada vez mais transcendentais, em substituição à reverência a animais ou fenômenos naturais. Os pesquisadores Christopher Isset e Stephen Miller destacam que "a agricultura levou a uma separação e desconfiança da natureza e levou seus praticantes a imaginar cultos ancestrais e deuses no céu"[24].

Importa ressaltar que as agriculturas a que nos referimos são aquelas que irradiaram dos centros de origem classificados por Mazoyer e Roudart[25]. Não se encaixam nessa classificação os

---

[23] HODDER, I. Things and the Slow Neolithic: The Middle Eastern Transformation. *Journal of Archaeological Method and Theory*, v.25, n.1, 2018, p.155-77.

[24] Tradução livre de: *"Farming led to a separation from, and distrust of, nature and led its practitioners to imagine ancestor cults and sky gods".* — ISETT, C.; MILLER, S. *The Social History of Agriculture: From the Origins to the Current Crisis.* Rowman & Littlefield, 2016, p.13.

[25] Os principais centros irradiantes da agricultura foram classificados por Mazoyer e Roudart como: a) o **centro do oriente-próximo** (entre 10 e 9 mil anos atrás), na região do crescente fértil, onde hoje é a Síri, um dos centros mais estudados e também mais antigos, b) o **centro centro-americano** (entre 9 e 4 mil anos atrás), no sul do México, c) o **centro chinês** (entre 8.000 e 6.000 anos atrás) nos solos siltosos dos vales do rio Amarelo, d) o **centro neo-guineense** (há 10.000 anos), provavelmente na região de

modelos desenvolvidos por muitas comunidades indígenas e tradicionais que faziam (e ainda fazem) culturas e criações que não afetam a estabilidade dos ecossistemas onde se inserem. Outras cosmologias estabeleceram outros contratos de relação com a natureza. Esses grupos, apesar das pressões e violências sofridas sistematicamente há séculos, ainda hoje mantêm nas áreas que cuidam a maior parte da biodiversidade presente no planeta. Essa dívida com os ecossistemas, cuja história procuramos aqui reconstruir, não se refere a essas populações.

Ainda que pareça um fenômeno atual, o desrespeito aos limites de ecossistemas não é de hoje. Tanto que as duas parábolas acima refletem as condições em que os ambientes se encontravam no período em que foram escritas. As terras por onde Jesus Cristo caminhou já estavam degradadas muito antes de seu nascimento. Perto dali, no atual Iraque, as práticas agrícolas aliadas ao pastoreio excessivo de ovinos e caprinos transformou, há milênios, o local descrito como Jardim do Éden em deserto. Na Grécia Antiga, no diálogo *Crítias,* Platão denunciou a erosão e o empobrecimento dos solos de Atenas, que já havia perdido suas florestas para o pastoreio em 590 a.C., tornando-a dependente de comida importada do Egito e da Sicília. Desde que a agricultura iniciou na China, há quase 8 mil anos, os solos mais ricos dos vales dos rios Amarelo e Yangtze foram aos poucos erodidos e despejados no mar. No chamado "Novo Mundo", centro de origem do milho, não foi diferente. Os maias, astecas e toltecas, por exemplo, sofreram com episódios de fome e seca em virtude da retirada das florestas na América Central, séculos antes do genocídio e

---

Papua-Nova Guiné, e o **centro sul-americano**, na região dos Andes há 6.000 anos, e f) o **centro norte-americano** (entre 4.000 e 1.800 anos atrás), na bacia do médio Mississipi. — MAZOYER, M.; ROUDART, L. *História das agriculturas no mundo: do Neolítico à crise contemporânea.* Tradução: Cláudia F. Falluh Balduino Ferreira. São Paulo: Editora Unesp, 2010.

ecocídio promovido por colonizadores europeus[26,27]. A expansão dos campos cultivados exigia a abertura de clareiras cada vez maiores na floresta. Ao longo de séculos, essa prática esgotou a fertilidade dos solos e reduziu as chuvas entre 5% e 15% no sul do México e na península do Yucatán[28].

A agricultura é uma atividade que os seres humanos praticam há pelo menos 10 mil anos. Colocado dessa forma, parece muito tempo. Talvez por isso temos a ilusão de que os problemas encontrados por nossos antepassados são tão obsoletos quanto superados, graças especialmente aos avanços tecnológicos. No debate sobre os desafios atuais da agricultura raramente se estende o olhar para além da recente industrialização do campo. No centro das críticas estão os pacotes tecnológicos das monoculturas, agroquímicos, manipulação genética, irrigação, pecuária intensiva, globalização da economia e os reflexos sociais e ambientais que vêm a reboque. Esse recorte em si já é tão complexo e urgente que, sem perceber, somos aprisionados em um infinito labirinto argumentativo que negligencia o contexto mais fundamental da agricultura.

Se considerarmos a história das práticas disseminadas a partir dos principais centros de origem da agricultura no mundo nos últimos 10 mil anos, podemos afirmar que, de modo geral, a relação entre homem, agricultura e natureza quase nunca foi pacífica. A agricultura produziu um tipo específico de sociedade, cuja história é recente se comparada aos aproximados 300 mil anos de *Homo sapiens* no planeta. Durante esse curto período,

---

26 MONTGOMERY, D. R. *Dirt: The erosion of civilizations, with a new preface.* Berkeley: University of California Press, 2012.

27 DOUGLAS, P. M. J.; PAGANI, M.; EGLINTON, T. I. et al. A long-term decrease in the persistence of soil carbon caused by ancient Maya land use. *Nature Geosci*, v.11, 2018, p.645-9.

28 COOK, B. I.; ANCHUKAITIS, K. J.; KAPLAN, J. O. et al. Pre-Columbian deforestation as an amplifier of drought in Mesoamerica. *Geophysical Research Letters*, v.39, n.16, 2012.

que representa apenas 3% do tempo de existência da nossa espécie, inúmeras civilizações de base agropastoril emergiram e colapsaram. Uma após a outra — cada qual com seus sistemas de crenças, de governos e de organizações sociais — se depararam com o mesmo dilema: os recursos naturais dos quais dependiam para prosperar não se renovavam na mesma velocidade com que eram consumidos. O esgotamento de solos motivou muitas das guerras, invasões e genocídios da história, ainda que em associação com disputas políticas, étnicas ou religiosas. O fogo e o arado deixaram feridas profundas e definiram a geopolítica global. Do Oriente Médio à Europa, da China às ilhas do Pacífico, da Austrália às Américas, a insustentabilidade da agricultura não é um problema de hoje, nem começou com a recente Revolução Industrial — apesar de por ela ter sido grandemente potencializada. O problema da sustentabilidade na agricultura é tão antigo quanto a própria agricultura, e o destino das civilizações que nela se apoiaram de forma exploratória tem se repetido ciclicamente ao longo da história.

Alguns dos primeiros agricultores de Roma (fundada em 750 a.C.) ainda praticavam sistemas que consorciavam, por exemplo, árvores, videiras, cereais, legumes, vegetais e plantas forrageiras — o que ficou conhecido como **cultura promíscua**[29]. Em 500 a.C., no entanto, as ferramentas de ferro ficaram mais populares e acessíveis. O arado fomentou a simplificação dos cultivos e novas políticas de distribuição de terras. Os cereais passaram a ser a base da economia agrícola romana. Como consequência, observou-se o desaparecimento das matas ciliares, aumento de erosão e assoreamento de rios. Nas partes mais baixas, rios

---

[29] FORNI, G.; MARCONE, A. *Storia Dell'Agricoltura Italiana — L'età antica*. Accademia dei Georgofili. Firenze: Edizioni Polistampa, 2002.

transformavam-se em áreas alagadas que, por volta de 200 a.C.[30], contribuíram para um massivo surto de malária na região.

Depois de esgotados os melhores solos, novas áreas em terrenos mais altos foram abertas — o que demandou maior investimento em adubação e irrigação. Era uma bola de neve. Cada tentativa de expansão daquele modelo agrícola trazia problemas ainda maiores. A supressão das florestas aliada às arações cada vez mais profundas criaram mais erosão, mais assoreamento, mais degradação de solos, maiores secas e, consequentemente, graves tensões sociais. Os agricultores passaram a adotar rotação de culturas e pousio para repor alguma fertilidade ao solo, mas não foi suficiente. As novas práticas não deram conta de reverter o cenário e ao mesmo tempo alimentar uma população crescente. Não por acaso, nos primeiros anos depois de Cristo, os lavradores que viviam na região central do que hoje é a Itália mal conseguiam se manter, muito menos abastecer as cidades. Os solos ao redor da capital foram exauridos, o que levou à necessidade de conquistar novos territórios. No início da Era Cristã, a população de 1 milhão de habitantes de Roma dependia dos 200 milhões de toneladas de grãos que eram enviados anualmente do Egito e Cartago (hoje Tunísia). Não por acaso, o norte da África era considerado o "celeiro de Roma".

Do ponto de vista técnico, a agricultura praticada pelo império romano há pelo menos dois mil anos ganharia hoje todos os selos e prêmios de sustentabilidade. Afinal, eles não usavam agroquímicos ou sementes geneticamente modificadas, toda a adubação era orgânica, trabalhavam com rotações de culturas e fertilização com manejo de animais. Ainda assim, o agronegócio romano

---

[30] MONTGOMERY, D. R. *Dirt: The erosion of civilizations, with a new preface.* Berkeley: University of California Press. Berkeley, 2012.

consumiu os solos do império e deu o último empurrão para transformar o extremo norte da África em deserto. Os exemplos de Roma e de muitas outras civilizações estão descritos em *Dirt, the erosion of civilizations,* do geomorfólogo David Montgomery. Nesse livro, recheado de evidências, o autor nos convida a desviar nosso olhar das magníficas heranças culturais e arquitetônicas dessas sociedades para darmos atenção às cicatrizes que elas deixaram em seus solos. Em maior ou menor grau, grande parte das civilizações agrícolas sofreram do mesmo mal. À medida que a população crescia, também cresciam as taxas de erosão, sempre associadas à agricultura, ao pastoreio intensivo e à destruição das florestas. O esgotamento dos recursos trazia instabilidade e crises. Não raro, essas sociedades eram acometidas por fome, doenças e guerras, que eventualmente as levariam à ruína.

Comparar nossa agricultura industrial moderna com o antigo modelo romano pode parecer exagero. Afinal, são mais de dois mil anos de suposto progresso. Mas, se olharmos com mais cuidado, apesar das transformações no maquinário, da manipulação genética e das inovações de ferramentas de gestão, o *modus operandi* da agricultura não mudou tanto assim. Em geral, técnicas e máquinas supermodernas não trouxeram nenhum elemento novo a não ser atualizações tecnológicas do que sempre foi feito. Do ponto de vista funcional, um arado da Idade Média não é tão diferente de um arado moderno. A despeito das melhorias, sobretudo na escala, o propósito de ambos os implementos é essencialmente o mesmo. Da mesma forma, o ato e a necessidade de tirar ervas indesejadas que crescem em meio aos plantios é um desafio compartilhado por gregos antigos e modernos plantadores de soja. Isso vale para o combate às pragas e doenças, e também vale para a necessidade de adubação e irrigação.

A busca pela solução desses problemas definiu os axiomas da tecnociência agrária e moldou todo um pensar agrícola que persiste até hoje. O avanço na agricultura ao longo da história é uma percepção parcialmente ilusória. O aparato moderno inquestionavelmente tem promovido crescentes ganhos de produtividade, e por isso temos a impressão de que superamos os desafios do passado. Porém, por trás dessa fé na tecnologia (falaremos mais sobre isso na p.196, em "Fé cega, tecnologia afiada"), o problema fundamental da agricultura segue insolúvel. Continuamos a destruir, cada vez mais rapidamente, os mecanismos naturais que mantêm os recursos dos quais a própria agricultura depende: solo fértil, água e estabilidade climática. No passado ou no presente, o padrão tem sido o mesmo. Em vez de tratarmos bem a galinha dos ovos de ouro, escolhemos torturá-la até a morte. O objetivo é fazê-la resistir aos nossos abusos pelo máximo de tempo possível.

A agricultura industrial norte americana, em média, gasta entre 7 e 10 calorias para produzir apenas uma caloria[31]. Que eficiência é essa, senão a eficiência na capacidade de manter um modelo em crise? A lógica econômica humana encontra justificativas para seguir nesse caminho e repassa os prejuízos da transação para os pontos cegos de nosso sistema financeiro: os ecossistemas. Nossa fábrica de desertos nunca foi tão eficiente. Assim como muitos dos nossos antepassados, estamos no ponto crítico de um ciclo vicioso de exploração-esgotamento-colapso. Somos dependentes de um modelo de agricultura sem futuro que não consegue produzir sem destruir.

A diferença é que no passado havia para onde expandir e novas terras férteis a serem exploradas (mesmo que para isso fosse necessário subjugar outros povos). Hoje, nossa civilização

---

31 HORRIGAN, L.; LAWRENCE, R. S.; WALKER, P. How sustainable agriculture can address the environmental and human health harms of industrial agriculture. *Environmental Health Perspectives*, v.110, n.5, 2002, p.445-56.

interconnectada está próxima de seu limite[32]. Mas, se olharmos por uma perspectiva otimista, temos também uma oportunidade única em nossas mãos.

Uma diferença entre os antigos agricultores romanos e os agricultores modernos é que o primeiro grupo provavelmente não tinha consciência de que aquelas práticas um dia levariam seus solos à exaustão. Dada a tecnologia existente, essa degradação era lenta, percebida ao longo de gerações. Já não podemos dizer o mesmo sobre os tempos atuais. O pacote moderno permite que uma única geração de agricultores testemunhe seus efeitos negativos nos ecossistemas. Apesar de dramático, esse cenário é propício à inovação. Momentos de crise podem também ser oportunidades para pensarmos de modo diferente. Assim como testemunhamos os efeitos devastadores das nossas atividades, por que não olharmos para o que acontece onde deixamos de provocar alterações? O que poderíamos aprender com isso?

A lição do pousio

"Nós aprendemos desde a escola a explorar recursos, não aprendemos a criar recursos."

Ernst Götsch

Historicamente, sempre que uma civilização agrícola entrava em crise, havia um longo período de migrações e abandono dos campos cultivados. Tão logo as áreas eram desocupadas,

---

[32] ROCKSTRÖM, J.; STEFFEN, W.; NOONE, K. et al. Planetary boundaries: exploring the safe operating space for humanity. *Ecology and Society*, v.14, n.2, art.32, 2009.

animais e plantas lentamente ressurgiam. Com eles — e graças a eles — havia um gradual aumento de fertilidade, biodiversidade, capacidade de retenção de água e redução de erosão. Sem agricultores para lavrar a terra anualmente e sem o pastoreio intensivo de animais domésticos, a natureza podia se expressar segundo sua tendência intrínseca — o caminho estava livre para a sucessão natural. As ervas antes indesejadas podiam então crescer, e em seguida arbustos e árvores. A cada ano, raízes de plantas perenes perfuravam camadas mais profundas do subsolo, abrindo passagem para a água e o ar. Aos poucos, o chão compactado era amolecido e ocupado por colônias de bactérias, fungos e tantos outros organismos responsáveis por estruturar o solo e distribuir nutrientes. Com sorte, árvores de crescimento lento ganhavam os séculos de paz necessários para descerem suas raízes até os lençóis freáticos, beneficiando seus vizinhos com o bombeamento de água e minerais para a superfície durante os períodos mais secos. O retorno das árvores adicionava um ingrediente nobre ao cardápio. Galhos e troncos podados pelo vento e pelos animais caíam no solo e eram rapidamente colonizados por uma cadeia cada vez mais complexa de organismos especialistas em transformar madeira em húmus e em comida, não só para si próprios, mas também para as plantas ao redor. O aumento das interações entre os organismos se refletia em uma melhoria crescente das condições do ambiente, que agora poderia abrigar e nutrir comunidades de plantas e animais cada vez mais exigentes e complexas. Durante nossa ausência, as leis naturais se sobrepunham às leis humanas e o metabolismo coletivo do ecossistema produzia o solo fértil tão desejado pelos agricultores. Mas não por muito tempo. Não tardaria até a chegada de novos grupos que, também munidos da maldição agrícola e pastora, iniciariam um novo ciclo de exploração.

Aparentemente, nossas práticas agrícolas dominantes sempre estiveram na contramão do que acontecia com o restante da vida no planeta. Afinal, só quando livres de nossa intervenção é que as condições do ambiente melhoravam. O ato de abandonar uma área por tempo suficiente até que ela recupere sua fertilidade é inclusive um dos mecanismos aos quais a agricultura sempre recorreu: chama-se **pousio**.

Desde os primórdios, a derrubada e queima de florestas e o pousio eram práticas complementares. Imagine um ambiente natural como uma caderneta de poupança. Quando deixado de lado, rende juros progressivamente, traduzido em **capital natural**[33]. Vez ou outra um grupo de pessoas resolvia sacar esse capital natural, derrubando e queimando parte dos dividendos para convertê-los em colheitas agrícolas e pastos. Depois de exaurida a conta, abandonavam a área em busca de novos lugares, de outras poupanças, delegando a tarefa de recriar reservas para as dinâmicas naturais das quais não participavam. Dali a alguns anos, eles retornariam para um novo saque.

A técnica de derrubar e queimar florestas seguida de um período de pousio de longa duração se manteve estável por milhares de anos, o que sugere uma pretensa sustentabilidade. Porém, quando aliada a um lento, mas constante crescimento demográfico, eventualmente ela também chegaria ao seu limite. Enquanto havia florestas para desmatar e terras sobre as quais progredir, a frente pioneira da agricultura se subdividiu e migrou até se ver encurralada, fosse por uma fronteira física ou política.

---

33 Utilizamos o conceito de capital natural por seu potencial metafórico, que ajuda na explicação que aqui procuramos desenvolver. No entanto, temos reservas quanto ao seu uso para designar os produtos da natureza, pois ele parece abrir caminho para a comoditização dos bens naturais e porque os reduz a um subtema (capital) de um determinado modo de produção (capitalismo) historicamente condicionado. Ou seja, esperamos ansiosamente que em um futuro breve outras melhores metáforas povoem nosso imaginário coletivo e realidades objetivas.

Assim, os grupos tiveram que absorver cada vez mais habitantes e, com isso, o tempo de pousio foi reduzindo gradativamente. Os primeiros agricultores deixavam áreas abandonadas por até 50 anos. Muitas vezes, eram seus filhos e netos que retornavam para conduzir o novo ciclo de derrubada e queima. Com mais bocas para alimentar, o intervalo entre distúrbios passou de 50 anos para 25, depois para 10, depois para 5 anos[34]. Ainda na metáfora da poupança, uma aplicação de curto prazo não rende o suficiente, e por isso os saques eram cada vez menores em áreas cada vez maiores. Quando esse modelo chegou ao seu limite, a prática do pousio foi abandonada. Agora sem florestas, os campos passaram a ser trabalhados anualmente. Esse foi um marco que separou a agricultura praticada em ambientes com árvores para uma agricultura de campo aberto. Sem os dividendos da sucessão natural, os agricultores foram forçados a encontrar novos métodos para fertilizar e irrigar solos cada vez menos produtivos, mais duros e secos. Também tiveram que desenvolver novas estratégias para combater pragas e doenças cada vez mais frequentes e vigorosas.

Desde o início, as inovações agrícolas se debruçaram primordialmente sobre como aumentar a eficiência no consumo de recursos naturais, e pouco olharam para o que acontecia nas áreas em pousio, onde a atividade de cada geração de plantas, animais e microrganismos entregava um ambiente mais complexo e fértil para a geração seguinte. No pousio impera uma coerência econômica e operativa contrária à da agricultura. Em uma área

---

[34] A quantidade de biomassa produzida em um pousio arbóreo de 50 anos é de 350 ton/ha em média, enquanto em um pousio também arbóreo, só que de apenas 10 anos, a produção cai para 55 ton/ha em média. — MAZOYER, M.; ROUDART, L. *História das agriculturas no mundo: do Neolítico à crise contemporânea*. São Paulo: Editora Unesp, 2010.

em pousio, o conjunto da vida não apenas supre sua própria demanda energética como também acumula excedentes, gerando um superávit de recursos enquanto evolui.

Será que nenhum dos primeiros agricultores se perguntou se seria possível cultivar nossas plantas em uma lógica semelhante ao que acontece no pousio, para que após cada colheita herdássemos um lugar mais fértil, e não o contrário? Certamente que sim. Muitos povos, cada um a seu modo, desenvolveram sistemas que encaixavam a agricultura nas dinâmicas dos ecossistemas. A já citada **cultura promíscua** era um exemplo disso. O comportamento das florestas semideciduais da bacia mediterrânica permitia o cultivo de hortaliças e grãos sob as árvores durante o inverno úmido. Com o frio, parte da vegetação entrava em dormência e perdia suas folhas. Árvores perenifólias, como alguns carvalhos e as oliveiras, eram podadas após a colheita no início do inverno. Isso permitia a entrada de luz e despejava no solo uma grande quantidade e variedade de adubo na forma de folhas e galhos. Na primavera, as culturas de ciclo curto cresciam sob as videiras, figueiras, choupos e freixos que aos poucos refaziam suas copas. Após sua colheita, já no ápice do verão seco, os frutos entravam em produção. Assim mantinha-se um ciclo anual relativamente estável que respeitava as regras de funcionamento daquele ecossistema, e que sincronizava lavoura com árvores frutíferas e madeireiras. O escritor e oficial romano Plínio, o Antigo (23-79 d.C.), descreveu em seu tratado *História Natural* o cultivo realizado na Tunísia naquela época:

> À sombra da orgulhosa palmeira brota a oliveira, e sob a oliveira a figueira, sob a figueira a romãzeira, e sob esta a vinha, sob a vinha o trigo, depois as leguminosas, enfim as

folhas: tudo isso no mesmo ano e todas estas plantas são alimentadas umas à sombra das outras.[35]

No livreto *Perennials*[36] Ernst descreve os pomares com os quais conviveu em sua infância no interior da Suíça. Eram sistemas complexos que consorciavam macieiras, pereiras, carvalhos, cerejeiras, frutos vermelhos, avelãs, nozes, ameixas e ainda ervas e folhas para saladas. Esses consórcios se mantiveram produtivos por séculos. Podas regulares, manejo de estratos e cobertura de solo garantiam a ciclagem de biomassa e nutrientes, que resultava em alimentação farta, madeira para construção e lenha durante o difícil período entre guerras. Ernst lamenta que esses modelos tenham desaparecido com a aplicação do *Plano Marshall*, que impôs à Europa o pacote agrícola baseado na produção de *commodities* e dependente de um arsenal de insumos industriais.

Antes da chegada dos colonizadores na América do Norte, estima-se que uma grande parte do subcontinente era ocupada por algum tipo de sistema agroflorestal. Nos trópicos úmidos, povos tradicionais promovem até hoje pequenos distúrbios sem queima na mata e cultivam o milho, o feijão, a abóbora e diversas raízes sob a copa das grandes samaumeiras. Achados arqueológicos demonstram que povos originários do sul do Brasil, do tronco linguístico Jê (dos quais descendem as atuais etnias Kaingang e Laklãnõ/Xokleng), contribuíram para o estabelecimento das matas de araucária (*Araucaria angustifolia*) nas terras altas daquela região[37]. O mesmo acontece com os estudos

---

35 Plínio, o Velho. "História Natural", apud MAZOYER, M; ROUDART, L. *História das agriculturas no mundo: do Neolítico à crise contemporânea*. São Paulo: Editora Unesp, 2010.

36 Disponível em: https://agendagotsch.com/pt/perennials-part-i-full-text/

37 ROBINSON, M.; DE SOUZA, J. G.; MAEZUMI, S. Y. et al. Uncoupling human and climate drivers of late Holocene vegetation change in southern Brazil. *Scientific Reports*, v.8, n.1, 2018, p.7800.

sobre as alterações na paisagem amazônica pré-colombiana. A sugestão é de que as comunidades arbóreas na Amazônia são estruturadas, em grande parte, por uma longa história de domesticação de plantas[38].

Apesar de muitos desses modelos atenderem aos critérios que hoje desejamos em práticas sustentáveis, eles não conseguiram conter a expansão da mentalidade agropastoril exploratória e a estrutura socioeconômica que a acompanha. Povos que estabeleceram outros modos de vida que não esgotam o ambiente com o qual interagem não precisaram inventar justificativas morais e espirituais para saquear e subjugar áreas vizinhas, não viram necessidade de investir em artefatos bélicos para se defender ou expandir seus territórios, e tampouco precisaram criar estruturas sociais desiguais e coercitivas — características facilmente identificáveis na maior parte das civilizações agrícolas[39]. Por isso sempre estiveram vulneráveis diante de modelos cuja continuidade dependia da exploração de cada vez mais recursos.

Antes de sociedades agrícolas e pastoras começarem a extinguir espécies e a degradar substancialmente os ecossistemas, muitos ambientes estavam em um grande e longevo pousio. Conscientemente ou não, os seres humanos faziam parte daquele funcional sistema ecológico. Tal como nossos irmãos primatas, eles promoviam podas, manejos e plantios como consequência de seus atos de colher frutos e construir abrigos. O efeito de seu impacto nos ecossistemas era a dispersão de sementes e a distribuição e aceleração da ciclagem de biomassa.

---

38 LEVIS, C.; COSTA, F. R. C.; BONGERS, F. et al. Persistent effects of pre-Columbian plant domestication on Amazonian forest composition. *Science*, v.355, n. 6328, 2017, p.925-31.

39 FLANNERY, K.; MARCUS, J. *The creation of inequality: How our prehistoric ancestors set the stage for monarchy, slavery, and empire.* Cambridge (MA): Harvard University Press, 2012.

Com o uso de ferramentas e do fogo, nossa espécie estreitou seu olhar (fosse como causa ou consequência do aumento da complexidade social) e começou a fraudar algumas das leis básicas desse grande sistema. Em algum momento desse percurso nós, seres humanos, desligamo-nos completamente de nossa função nos ecossistemas. Agora, para nos reconciliarmos com a natureza, talvez tenhamos que considerar novas interpretações ecológicas, como, por exemplo, aquelas que procuram dar conta da lógica que rege os sistemas vivos. É disso que falaremos no próximo item.

Sintropia — Fluxo de recursos

"A vida não funciona nos princípios da entropia, do complexo para o simples. A vida se baseia em processos que levam do simples para o complexo, na sintropia."

Ernst Götsch

Quando questionada sobre quais seriam os propósitos da vida, a bióloga Lynn Margulis dizia que "A vida quer crescer. Para quê? Para criar mais vida. Para quê? Para criar mais vida e assim por diante"[40]. Enquanto avançam, os sistemas biológicos ampliam as condições para que sigam prosperando. A cada ciclo, há um aumento de complexidade, diferenciação de formas, estruturas e energia armazenada em biomassa.

---

[40] FELDMAN, J. *Symbiotic Earth: How Lynn Margulis rocked the boat and started a scientific revolution*. Documentário. Direção: John Feldman, 2019.

Tudo que é vivo é alimentado e, ao mesmo tempo, alimenta o fluxo de recursos que caracteriza a própria vida. Ernst Götsch usa como exemplo uma abelha que se vale dos "dividendos" do capital natural para realizar suas atividades e metabolismo. Porém, em vez de dispersar essa energia aleatoriamente, ela a reinveste na cadeia produtiva da vida. Isso porque, ao longo de sua existência, ela poliniza milhares de flores que, por sua vez, transformam-se em milhões de sementes. Graças ao seu trabalho, haverá mais plantas para a próxima geração e, consequentemente, mais flores, mais frutos, mais sementes, e assim por diante, beneficiando não apenas sua própria espécie, mas toda a teia da vida[41]. A abelha não está sozinha. Para Ernst, todas as espécies, desde que apropriadamente inseridas em seus habitats, cumprem algum papel semelhante. Seja predador ou presa, bactéria ou fungo, e até mesmo o que chamamos de pragas e doenças (voltaremos a isso nos textos da Parte 3, "Reinterpretando conceitos conhecidos"), todos estariam, segundo Ernst, a favor do incremento da vida. As únicas criaturas dissonantes somos nós, seres humanos modernos, que, além de não reinvestirmos na cadeia produtiva da vida, temos nos empenhado em destruí-la cada vez com maior alcance e eficiência.

Tanto as sociedades agropastoris humanas quanto a natureza da qual nos apartamos, em tese, buscam conservar e perpetuar seu funcionamento e atender às necessidades vitais de seus dependentes, provendo meios para que exerçam sua melhor performance, a qual se expressa na forma de uma existência saudável e livre de dor e sofrimento. Ambas partem dos mesmos recursos disponíveis. Porém, elas divergem em sua lógica ope-

---

41 GÖTSCH, E. *Homem e natureza: cultura na agricultura.* Recife: Centro Sabiá, 1997.

rativa. As sociedades humanas consomem recursos nas etapas de simplificação e degradação do capital inicial. Queimamos petróleo e madeira para ter energia, desorganizamos os ciclos geológicos para transformar (a custos altíssimos) minerais em ferramentas cada vez mais eficientes em usar ainda mais energia. O ser humano se especializou em explorar recursos continuamente, não em criá-los. Já em ambientes naturais, o capital inicial disponível é utilizado para gerar ainda mais recursos. Tal como ocorre no pousio, o resultado da ação coletiva da vida é o aumento nas reservas de energia acumulada em forma de biomassa. Os sistemas vivos operam como um motor perpétuo que colhe os ingredientes disponíveis (sol, água, minerais, gases) e os armazena em estruturas cada vez mais complexas, expressas em crescentes níveis de diferenciação. Quando equacionamos a energia gerada de um lado, e a energia consumida para sua manutenção de outro, o saldo é positivo. Há um aumento constante e crescente do capital inicial. Enquanto as dinâmicas das sociedades humanas favorecem a dispersão de energia, os ambientes naturais favorecem seu acúmulo. Uma é entrópica (*en* + *tropos* = tendência a divergir), a outra é sintrópica (*syn* + *tropos* = tendência a convergir).

Entropia e sintropia dizem respeito ao fluxo de energia no Universo que é, grosso modo, dividido em duas fases complementares, tal como a inspiração e a expiração em um sistema respiratório. Na expiração, a energia se dissipa, irradia, degrada, encadeando transformações entrópicas, quer dizer, com liberação de energia. Na inspiração, a energia converge, concentra-se e induz transformações sintrópicas, gerando concentração de energia no sistema.

Equações sobre como a energia se dissipa já são bem conhecidas e foram descritas por grandes mentes ao longo do século XIX, inaugurando uma nova área na física chamada **termodinâmica**. Nascida no seio da Revolução Industrial, a termodinâmica foi impulsionada pela urgência em se compreender os fenômenos que estavam por trás do funcionamento dos motores a vapor. Sua primeira e famosa lei — princípio da conservação da energia — diz que a energia contida em um sistema não pode ser criada nem destruída, mas pode ser transformada. Simplificadamente, isso quer dizer que a energia armazenada em um pedaço de carvão ou lenha pode ser, por exemplo, convertida em trabalho mecânico, ou seja, movimento. A segunda lei — a lei da entropia — diz que a energia se dispersa em um sentido único, sempre partindo de um estado mais concentrado para um estado menos concentrado, e que esse processo é irreversível. Aquela energia contida no carvão, convertida em movimento e em calor, jamais retornará ao seu estado anterior. Uma vez dispersada, ela também se degrada.

Já a fase em que a energia se concentra — sintrópica — segue como um mistério para a ciência, ainda que ganhe cada vez mais robustez teórica. Sua concepção mais moderna surgiu como uma reação à própria lei da entropia, e por se perceber que ela não explicava alguns fenômenos naturais, como a ocorrência e evolução da vida no planeta. Para o prêmio Nobel (1937) Albert Szent-Györgyi, "a vida continuamente demonstra uma redução na entropia e aumento em sua complexidade interna e na complexidade do ambiente, em uma oposição direta à lei da entropia"[42]. Em 1945, o físico e prêmio Nobel Erwin Schrödinger escreveu um elegante livro chamado *O que é vida?*, no qual argumentou que os sistemas vivos parecem alimentar-se de entropia negativa,

---

[42] SZENT-GYÖRGYI, A. Drive in living matter to perfect itself. *Synthesis*, v.1, n.1, 1977, p.14-26.

pois são capazes de aumentar sua organização e regulação a distância, apesar do caos entrópico à sua volta. Um ano antes, o italiano Luigi Fantappiè publicava sua *Teoria unitária do mundo físico e biológico*[43], a partir da qual descrevia toda uma sorte de fenômenos não compreendidos pela causalidade mecânica: os fenômenos sintrópicos. Como o grande matemático que foi, Fantappiè demonstrou, a partir da mesma equação ondulatória que rege os fenômenos entrópicos, a existência de uma outra solução que, apesar de prevista nos cálculos, teria sido descartada porque sugere a existência de potenciais antecipados — ou seja, finalidade em vez de causalidade. Para Fantappiè essa solução da equação descreveria as ondas convergentes que, com o tempo, tendem à ordem e à diferenciação. Estas, por sua vez, explicariam fenômenos como a formação do olho, o processo clorofiliano, a subida da seiva na planta e os fenômenos psíquicos da personalidade humana[44].

Alguns meses após o lançamento de nosso curta-documentário *Vida em sintropia*, recebemos um amável e-mail do pesquisador italiano Ulisse Di Corpo. Ele e a pesquisadora Antonella Vannini estudavam sintropia há décadas na Universidade de Roma, e expuseram sua curiosidade em encontrar esse conceito, normalmente atribuído à física, adjetivando um método agrícola. Desde então, encontramo-nos algumas vezes e tivemos o privilégio de aprender com eles o caminho que a sintropia havia percorrido na história do pensamento científico, assim como o que existia de estudos e pesquisas atuais sobre o tema. Para nós,

---

43 Luigi Fantappiè (1901-1956) apresentou essa teoria pela primeira vez na *Accademia d'Italia la nuova*, em 30 de outubro de 1942, mas só publicou dois anos depois, em 1944.

44 FANTAPPIÈ, L. *Che cos'è la Sintropia — Principi di una teoria unitaria del mondo fisico e biologico e conferenze scelte*. Roma: Di Renzo Editore, 1993.

foi um grande alívio, pois, desde que Ernst Götsch rebatizou seu trabalho como Agricultura Sintrópica em 2013 (mais sobre isso no "Anexo 1: para que inventar outro nome?"), iniciamos uma jornada pessoal para verificar a origem, os usos e a legitimidade científica de uma ideia que, até então, soava-nos bastante incomum. Esse processo de descoberta foi um dos mais decisivos para acessarmos as costuras entre o pensamento do Ernst e sua prática agrícola. Havia uma coerência metodológica, e a sintropia estava em seu centro.

Ainda que a ciência faça parte de sua formação, Ernst Götsch desenvolveu seu entendimento sobre sintropia alheio ao debate que acontecia na academia. Mesmo assim, sua percepção comunga com o que muitos pesquisadores haviam publicado. Ernst concorda com Di Corpo e Vannini quando dizem que a entropia e a sintropia são duas faces da mesma moeda. Uma não existe sem a outra, pois, em um processo dinâmico de transformação de energia, sintropia e entropia estariam conectadas[45]. O físico Giuseppe Arcidiacono e o químico Salvatore Arcidiacono conectam a teoria de Fantappiè aos campos da teoria da informação e da teoria de sistemas dinâmicos para demonstrar que em todo fenômeno, seja ele fisiológico ou biológico, há um componente entrópico e um componente sintrópico[46].

---

[45] DI CORPO, U.; VANNINI, A. *An introduction to syntropy.* Amazon Digital Services LLC — Kdp Print Us, 2017.

[46] ARCIDIACONO, G.; ARCIDIACONO, S. *Sintropia, entropia, informazione — una nuova teoria unitaria dela fisica, chimica e biologia.* Roma: Di Renzo Editore, 1991.

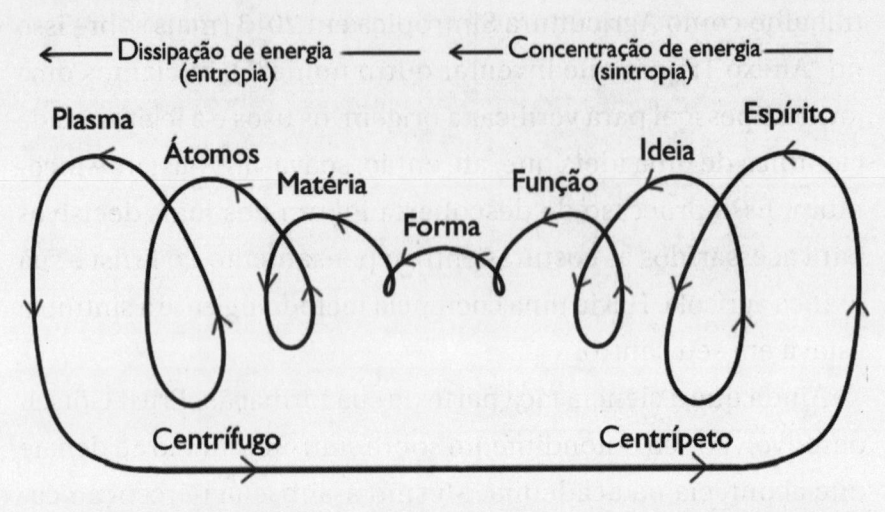

Figura 1 Sintropia e entropia segundo Ernst Götsch: representação gráfica dos ciclos de dissipação e concentração de energia. O termo "arracional" é utilizado intencionalmente por Götsch, que, em comunicação pessoal, nos explicou que, diferentemente de "irracional", que seria contrário à razão, "arracional" seria a qualidade de ser privado do exercício racional.

Fonte: Adaptada a partir da concepção de Ernst Götsch (não publicado).

Na interpretação de Ernst, o fluxo de energia no Universo prevê etapas complementares de agregação e desagregação. No percurso de carregamento (sintrópico), a energia se organiza e ganha peculiaridades qualitativas e diferenciação. Segundo essa percepção, existiria um estado máximo de especificidades funcionais de um lado (forma), e um extremo de desorganização e uniformidade[47] de outro. Nesse estágio de máxima entropia (ápice da etapa expiratória), o potencial criativo é absoluto. Nele, as partículas mais elementares do Cosmos encontram-se dispersas ao extremo. Não há forma, não há função.

---

47 Especulativamente, seria o que chamamos de matéria negra, um estado hipoteticamente composto por partículas subatômicas e que compõem 70% a 85% do Universo.

Quando se inicia um processo de agregação e carregamento energético (sintrópico), esses ingredientes mais fundamentais começam aos poucos a ganhar propriedades específicas que os diferenciam do estado anterior de desorganização. A fase que Ernst chama de **espírito** (que em nada se relaciona com a qualidade de "espiritual" em seu sentido corriqueiro, mas sim como uma essência ainda incognoscível) diz respeito a um estágio de menor especialização. A etapa seguinte, com maior nível qualitativo, ele identifica como **ideia**. O desígnio de qualquer **ideia** é cumprir uma **função**. Para realizar a **função** requer-se uma **forma**, que é o ponto máximo de carregamento energético e especialização (ápice da etapa inspiratória, ou seja, sintrópica).

Depois que a **forma** cumpre a **função** que a originou, dá-se início à fase de descarregamento e desagregação (entrópica) por meio de sucessivos passos de degradação qualitativa e uniformização. A etapa entrópica, regida pelas leis da termodinâmica, desagrega os ingredientes constitutivos da **forma**, passando pelo **nível molecular**, **atômico**, até alcançar o estado mais rarefeito e ordinário da matéria — o **plasma** (que em grego significa "substância moldável"). Nesse percurso, a força inexorável da entropia libera a energia outrora concentrada até o ponto máximo de simplificação, retornando ao estágio de maior potencial criativo. A partir daí, ela pode ser reciclada e reutilizada por processos sintrópicos. Como dito anteriormente, ambas as etapas combinadas são complementares e análogas a um ciclo respiratório. A energia liberada por transformações entrópicas abastece processos sintrópicos, e vice-versa.

As leis termodinâmicas presumem que toda energia que existe no Universo, supostamente criada no *Big Bang,* está em processo de degradação, em um sentido único, sempre buscando o equilíbrio com o meio. O fim do Universo seria a chamada **morte**

térmica, momento em que toda energia estaria espalhada pelo Cosmos de maneira uniforme e equidistante. Esse seria o ponto máximo e irreversível de desorganização de toda energia e matéria. Mas e se a entropia for apenas metade da história?

A entropia é uma fase que prevê que a energia é irradiada em todas as direções a partir de um ponto, em movimento divergente, espiral e centrífugo que resulta no espalhamento de uma infinidade de sistemas energéticos com menor grau de organização. Segundo a termodinâmica, uma vez distribuída, essa energia se perde irreversivelmente. No entanto, uma vez espalhados, esses pacotes de energia podem começar a se agrupar e a se organizar por meio de processos "antientrópicos", e isso aconteceria em várias escalas no Universo.

Por exemplo, hoje sabemos que as estrelas são formadas a partir da condensação de grandes nuvens moleculares (nuvens de hidrogênio). A massa dessas nuvens (e, por consequência, sua energia) em geral está distribuída "entropicamente" em uma vasta área, cobrindo extensões que podem variar de centenas até milhares de anos-luz. Quando ocorre uma colisão ou a explosão de uma supernova em suas proximidades, ondas de choque interferem em sua estabilidade, criando vórtices (redemoinhos) que lentamente reorganizam a energia dispersada. É como se assoprássemos em um canudo em meio a uma nuvem de fumaça. O movimento circular faz com que as moléculas de gás das áreas afetadas se afunilem e se agrupem. Simetricamente à etapa de dispersão, esse movimento agora é centrípeto, inspiratório e converge para um ponto. Quanto mais massa se concentra, maior é a gravidade e maior é o momento angular[48]. Em nuvens mole-

---

[48] Momento angular $L = mvr$, em que m é a massa do corpo em rotação, v é a velocidade da rotação e r é a distância entre a massa e o eixo de rotação.

culares, em dado momento esses pontos de convergência ficam tão densos que os átomos de hidrogênio se fundem e começam a liberar a energia acumulada durante a etapa de concentração. Assim nasce uma estrela como nosso Sol, que, a partir de então, inaugura a etapa de descarregamento (entrópica), irradiando energia para todos os lados. A energia inicial das transformações sintrópicas é gerada pelo momento angular dos vórtices. A partir daí, o conjunto se vale de suas dinâmicas internas e da força gravitacional para concentrar energia e diminuir sua entropia. Os vórtices estão presentes em tudo e em diferentes escalas: no nascimento de estrelas, nos buracos negros, nos planetas, na atmosfera, e também nos processos biológicos.

É possível argumentar que foi necessário um aporte de energia externo para desestabilizar a nuvem de hidrogênio para criar os vórtices (energia cinética), e que, portanto, as leis da entropia seguem inabaladas. Mas, para isso, temos que isolar um sistema. Como ainda não compreendemos os meandros do fluxo completo de energia no Universo, simplificá-lo para acomodá-lo nas leis físicas vigentes pode impor limitações ao entendimento dos fenômenos.

Da mesma forma, desde os tempos de Schrödinger e Fantappiè, críticos alegam que a vida é tão entrópica quanto qualquer outra matéria no Universo. Afinal, o custo energético do aparato biológico é alto. Para demonstrar essa tese, eles isolariam aquela mesma abelha do exemplo anterior em um laboratório para medir seu balanço energético ao longo de sua vida. Assim provariam que ela precisa de muita energia (alimento) para crescer, voar e realizar suas funções vitais. Finalmente, concluiriam que a abelha é entrópica e que, portanto, não fere as leis da termodinâmica. A vida, diriam, apenas (e oportunamente) aprendeu a usar fontes de alta energia na tentativa de resistir à entropia da qual, por fim, não consegue escapar. No entanto, para que a medição que leva a essa conclusão seja viável, é preciso excluir variáveis. Como dito anteriormente, nenhum indivíduo (ou sistema energético) pode ser dissociado das interações das quais depende para existir. Ele é sempre uma extensão e fruto de suas relações transversais e sequenciais. Os processos de uso e transferência de energia são encadeados continuamente. Nesse sentido, a individualidade de uma abelha isolada em um laboratório é uma mera ilusão de ótica e uma simplificação perigosa. Da mesma forma que não conseguimos dissociar um fígado, um coração ou um pulmão da função que cumprem no corpo do qual fazem parte, também não podemos perder de vista que, para entender a natureza e suas trocas energéticas, o resultado do comportamento coletivo importa mais do que as contingências individuais.

Esse debate não é novo nem simples. Há muito tempo seres humanos modernos assumiram uma mentalidade científica com uma tendência desproporcional à especialização em detrimento do contexto. Ainda hoje somos regidos por uma racionalidade mecanicista que nos leva a crer que só compreenderemos o funcionamento de um relógio, por exemplo, quando o desmontarmos e analisarmos meticulosamente as partes que o constituem. Ao longo dos últimos séculos, instrumentos como os telescópios e os microscópios expandiram os limites do que chamamos de realidade. As novas perspectivas colocaram em suspeição muitos dos conceitos que definem nossa interpretação do mundo. Por exemplo, em uma escala microscópica, dentro de cada organismo circulam elementos que a rigor não são vivos, como minerais e água. Um pequeno e hipotético habitante de um átomo em nosso corpo veria moléculas orgânicas (carboidratos, proteínas etc.) e inorgânicas (água, minerais) cumprindo funções distintas e em constantes trocas. Para esse observador, seria muito difícil delimitar uma fronteira entre o que é vivo e o que não é. Em outra perspectiva, um segundo observador que orbita o planeta tampouco seria capaz de diferenciar sistemas bióticos de abióticos ao olhar em direção a uma grande floresta como a Amazônia. Ele veria um entrelaçamento de dinâmicas, envolto em um tipo de líquido amniótico (atmosfera) que protege seus sistemas vitais de circulação e respiração. Trata-se de um conjunto único, interdependente, que inclui os sistemas biológicos, água, gases e minerais. Dessa distância, o planeta é percebido como um macro-organismo que inclui tanto o conjunto da vida quanto os ciclos geoquímicos.

Na escala do Universo, ainda temos muito mais perguntas do que respostas. Nas últimas décadas descobrimos que existem mais buracos negros do que se imaginava. Ernst Götsch e Di Corpo defendem que os buracos negros fazem parte do instrumentário sintrópico do Universo, e que, portanto, convergem, concentram e reciclam energia irradiante para um ponto. Já estrelas, supernovas e quasares são entrópicos. Desde 1988, estuda-se o **Grande Atrator**, uma região superdensa no Universo para a qual muitas galáxias são atraídas[49]. Portanto, não é nenhum absurdo considerar que não estamos apenas sendo empurrados e espalhados entropicamente por uma energia supostamente liberada pelo *Big Bang*, mas também estamos sendo puxados por forças atratoras e convergentes.

Em nosso sistema solar, Ernst Götsch acredita que o planeta Terra pertence majoritariamente ao espectro sintrópico do sistema de circulação de energia, enquanto o Sol pertence ao entrópico. Um irradia energia, o outro acumula. Ernst e Schauberger se

---

[49] RADBURN-SMITH, D. J.; LUCEY, J. R.; WOUDT, P. A. et al. Structures in the Great Attractor region. *Monthly Notices of the Royal Astronomical Society*, v.369, n.3, 2006, p.1131-42.

referem à biosfera como um grande **biocondensador**, um mecanismo sofisticado de captação e armazenamento de resíduos entrópicos em níveis mais elevados de organização e que são mediados pelos sistemas biológicos. Os seres vivos são, segundo Ernst, "parte de um instrumentário que o planeta Terra dispõe para realizar sua estratégia sintrópica de ser". Nesse sentido, a vida organiza o fluxo de gases, minerais e água, promovendo transformações que resultam em acúmulo de energia.

Mas, afinal, o que todo esse discurso sobre sintropia tem a ver com agricultura? A resposta é: tudo. Na descrição de seus princípios, Ernst Götsch escreve que "cada espécie que aparece o faz para realizar suas tarefas específicas e para cumprir sua função"[50]. Segundo a lógica proposta por Ernst, "cumprir a função" significa comportar-se sintropicamente, ou seja, contribuir com o aumento da "quantidade e qualidade de vida consolidada em cada lugar com o qual interage". A partir do momento em que assumimos a premissa de que a vida é sintrópica, ou seja, que o resultado do metabolismo conjunto da biosfera é o aumento da complexidade — e mais, que cada espécie contribui para isso (e depende disso) —, não podemos mais olhar para as nossas práticas agrícolas com os mesmos olhos. O dilema é técnico, mas também é ético (como veremos na Parte 4, "Amor, prazer, encantamento e ética"). Grosso modo, as atividades agrícolas dominantes se espelham há milênios em um racional entrópico, explorador e simplificador das dinâmicas naturais ao adotar práticas (sejam elas convencionais ou orgânicas) como monoculturas, consórcios simples, repetição de culturas anuais e bianuais (grãos e hortaliças, com ou sem retrabalho de solo), fogo e supressão da paisagem arbórea.

---

50 Vide Anexo 2, com o texto integral de *"Princípios da Agricultura Sintrópica"*, de Ernst Götsch.

Em suma, qualquer técnica que preveja a interrupção da sucessão natural ou simplificação da fisionomia de um ecossistema fere a vocação sintrópica da vida. Por outro lado, isso não significa que devemos nos sentar e assistir passivamente à natureza gerar os frutos que nos abastecem. Devemos, tal como a abelha ou qualquer outra espécie, engajar-nos no fluxo sintrópico do planeta, conciliando o ato de produzir e cultivar tudo que nos é essencial à inexorabilidade dessa tendência.

Somos filhas e filhos das dinâmicas evolutivas e sintrópicas. Só chegamos até aqui porque a vida no planeta organizou recursos que viabilizaram a emergência de nossa espécie, e de tantas outras das quais dependemos. A energia disponível no planeta (resíduos entrópicos) foi sendo acumulada e conduzida através de moléculas e processos biológicos cada vez mais complexos, muitos dos quais ainda fogem à compreensão de nossa melhor ciência. Estejamos ou não convencidos pela teoria sintrópica, na experiência prática há fortes indícios de que a vida tem uma direção: do simples para o complexo. Mesmo após eventos ocasionais de extinções em massa, é sempre assim que ela se manifesta.

Nesta primeira parte do livro falamos sobre o que precisamos saber de antemão para conseguirmos, de fato, respeitar o que chamamos de natureza. Refletimos sobre como nossas práticas agrícolas dominantes funcionam tal qual uma fábrica de desertos, e contrapusemos essa lógica ao fluxo de recursos da natureza, manifestado no pousio e explicado pela teoria da sintropia. Agora resta saber como transformar todo o conteúdo exposto até aqui em colheitas agrícolas ou em reflorestamento. Nos textos que compõem a Parte 2 deste livro, descreveremos como Ernst Götsch entende e sistematiza o funcionamento dos ecossistemas naturais de modo a aplicá-lo em toda sua potência em uma agricultura que cria recursos em vez de explorá-los. Ao longo dessa explicação, recorreremos a alguns relatos de casos reais, mas não espere encontrar aqui nenhuma receita ou lista de plantas. Até porque pouco se pode fazer apenas com uma receita de consórcio. Mais importante é procurar alcançar a autonomia para tomar decisões, não apenas na hora da escolha das espécies mas também nas inúmeras etapas de desenvolvimento do seu agroecossistema. Para isso, é preciso entender os princípios fundamentais da Agricultura Sintrópica.

PARTE 2

A Agricultura Sintrópica de Ernst Götsch

Um quebra-cabeça 4D

Quem já teve a oportunidade de interagir com alguém que trabalha com Agricultura Sintrópica, certamente, já ouviu frases como: "O assa-peixe (*Vernonia polysphaera*) é uma planta emergente da placenta II de sistemas de acumulação; o milho é emergente de placenta I de sistemas de abundância; o cacau é estrato baixo de clímax; castanheiras (*Bertholletia excelsa*) e jequitibás (*Cariniana* spp.) são emergentes transicionais, também de sistemas de abundância". Aqui estamos diante de alguns parâmetros fundamentais que posicionam cada espécie no tempo e no espaço, de modo a facilitar a orquestração dos policultivos sintrópicos. Ou seja, há que se harmonizar a ocupação dos espaços verticais — estratos **emergente**, **alto**, **médio**, **baixo** e **rasteiro** — respeitando os passos sucessionais no decorrer do tempo — **placentas**, **secundárias**, **clímax** e **transicionais** — e ainda explicitando em qual sistema a espécie melhor se encaixa — **colonização**, **acumulação** ou **abundância**.

Dentre o vasto material produzido por ex-alunos de Ernst Götsch, é possível encontrar muitas listas que posicionam as espécies mais comumente cultivadas de acordo com todos esses parâmetros[51]. Mas, naturalmente, essas listas nunca serão exaustivas. Sempre haverá novas plantas e diferentes variáveis a serem consideradas, dependendo das condições específicas de cada local e situação. Por isso é importante saber inferir a classificação de qualquer espécie que se pretenda usar. Na impossibilidade de observar o comportamento das plantas em seus ambientes

---

51 No livro *Agricultura Sintrópica segundo Ernst Götsch* há um rico material ilustrativo com exemplos práticos. — REBELLO, J. F. S.; SAKAMOTO, D. G. *Agricultura Sintrópica segundo Ernst Götsch*. Reviver, 2021.

naturais, podemos nos valer de informações disponíveis na literatura botânica clássica (onde são indicadas características como ciclo de vida, preferência de luz e exigências de solo)[52]. Com essas informações em mãos, é possível tentar relacionar esses dados com as categorias de classificação da Agricultura Sintrópica. A montagem do nosso quebra-cabeça 4D começa no diagnóstico da área, passa pela definição do consórcio de plantas mais adequado e chega até o manejo necessário para potencializar as transformações sintrópicas. Tudo isso depende diretamente da nossa capacidade de transitar com desenvoltura pelas classificações: dos grandes sistemas, da sucessão natural e da estratificação. Esse é o mergulho que faremos a seguir.

Grandes sistemas — Sistemas de colonização, acumulação e abundância

"A Agricultura Sintrópica é uma agricultura de processos, e não uma agricultura de insumos."
Ernst Götsch

O primeiro diagnóstico que deve ser feito diante de uma área a ser trabalhada — seja para fins de cultivo ou de restauração — diz respeito às condições nas quais aquele ambiente se encontra, a fim de posicioná-lo dentro de um dos seguintes sistemas: **sistemas de colonização**, **sistemas de acumulação** e **sistemas de abundância** (ou **escoamento**). Ao explicar essa sua classificação,

---

[52] Além desses dados básicos, também pode-se depreender da literatura científica, ou do conhecimento popular local, importantes dados relativos ao tipo de relevo em que determinada planta geralmente ocorre, características sobre seu sistema radicular, tipos de sementes, época de floração e frutificação, velocidade de crescimento e resistência a podas.

Ernst Götsch frisa o plural "sistemas" pois há diferentes estágios em cada uma das três grandes divisões, e cada qual possui sua composição particular. Ou seja, podemos encontrar uma área em estágios iniciais de sistemas de acumulação que será fisionômica e funcionalmente diferente de outra área, mesmo que em ecossistema semelhante, mas que se encontre em fases mais avançadas de acumulação ou em transição para sistemas de abundância.

Para chegarmos a esse diagnóstico, podemos lançar mão de uma série de indicadores: observação dos tipos de plantas que crescem de forma espontânea (diretamente no local, mas também nas áreas subjacentes que potencialmente tenham sofrido menos intervenção), avaliação da matéria orgânica (quantidade, dinâmica e velocidade de decomposição), e ainda uma observação inicial do solo (composição, estrutura e capacidade de retenção de água). Esses seriam alguns exemplos de observações que podemos fazer a olho nu — e que já são bastante suficientes para inferirmos a classificação de sistemas. Por outro lado, caso tenhamos recursos laboratoriais à nossa disposição, chegaremos com mais precisão à identificação do estágio de evolução dentro dos sistemas em que aquele local se encontra. Desse modo, faremos a leitura de análises físico-químicas, não dentro do paradigma da remediação, mas sim dentro da lógica das dinâmicas sintrópicas da vida. Isso significa dizer que dados quantitativos normalmente oferecidos por esses tipos de análises não serão lidos como uma lista de itens a serem corrigidos via insumos externos, mas sim como indícios que nos levam à definição dos sistemas e que nos orientam na tomada de decisão sobre o que plantar e como plantar.

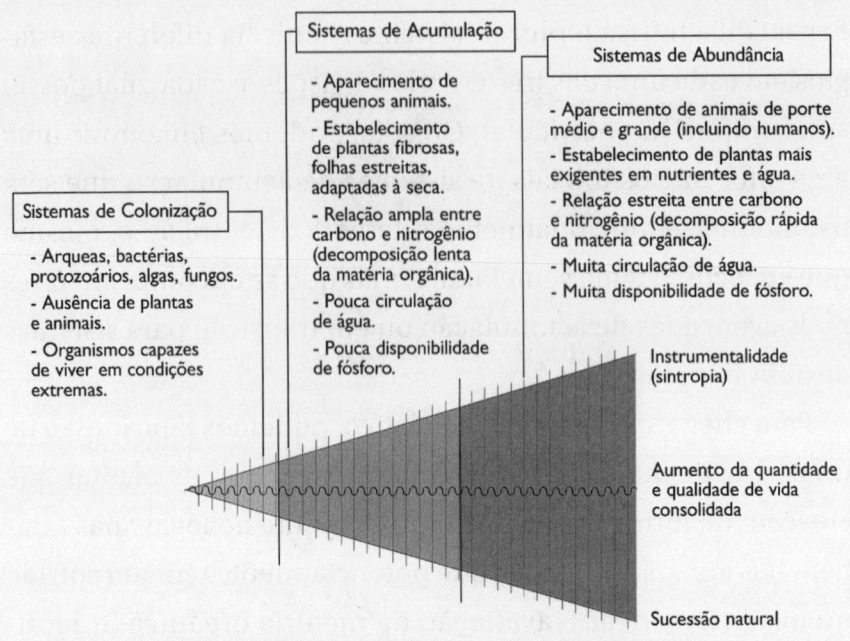

Sistemas de Colonização
- Arqueas, bactérias, protozoários, algas, fungos.
- Ausência de plantas e animais.
- Organismos capazes de viver em condições extremas.

Sistemas de Acumulação
- Aparecimento de pequenos animais.
- Estabelecimento de plantas fibrosas, folhas estreitas, adaptadas à seca.
- Relação ampla entre carbono e nitrogênio (decomposição lenta da matéria orgânica).
- Pouca circulação de água.
- Pouca disponibilidade de fósforo.

Sistemas de Abundância
- Aparecimento de animais de porte médio e grande (incluindo humanos).
- Estabelecimento de plantas mais exigentes em nutrientes e água.
- Relação estreita entre carbono e nitrogênio (decomposição rápida da matéria orgânica).
- Muita circulação de água.
- Muita disponibilidade de fósforo.

Instrumentalidade (sintropia)

Aumento da quantidade e qualidade de vida consolidada

Sucessão natural

Figura 2 Gráfico da Vida segundo Ernst Götsch: representação dos ciclos cumulativos da vida, com foco nos grandes sistemas.

Fonte: Adaptada a partir da concepção de Ernst Götsch (não publicado).

Em ambientes onde ainda não há solo formado predominam os **sistemas de colonização**. Como o nome sugere, os sistemas de colonização se relacionam às formas de vida capazes de ocupar locais até então desprovidos de qualquer substrato orgânico. Esses organismos sintetizam as primeiras moléculas orgânicas que sucessivamente transformam o ambiente, preparando o caminho para a emergência de estruturas cada vez mais complexas. Esse processo remete exatamente ao que aconteceu no período do início da vida no planeta. Hoje, situações análogas são encontradas, por exemplo, quando novas camadas de rocha são trazidas à tona por erupções vulcânicas ou quando ocorrem deslizamentos de terra. Essas condições se enquadram na classificação de sistemas de colonização, cujos microrganismos, em ordem evolutiva, são arqueas, bactérias, protozoários, algas e, em estágios mais avançados, começam a aparecer os fungos.

Identificar esse estágio não é uma tarefa difícil já que, nesse momento, ainda não há plantas ou animais. Sequer há solo. Portanto, não é uma situação corriqueira para agricultores. Na maioria dos casos, áreas que se encontram nessas condições não são consideradas cultiváveis. Apesar disso, esse é um estágio da evolução dos sistemas importante de ser entendido no contexto da vida no planeta. Inclusive porque as primeiras e mais elementares formas de vida presentes nesse momento, apesar de serem aquelas que tendemos a menosprezar — ou, ainda pior, costumamos combater por associá-las a todo tipo de doenças —, são as responsáveis pela criação e regulação da atmosfera, dos oceanos, pela digestão e ciclagem de nutrientes (seja no solo, seja como endossimbiontes dentro de outros organismos). Segundo a percepção de Ernst Götsch, os sistemas de colonização também criam o "sistema imunológico" da biosfera. Ou seja, as enzimas, os hormônios, os antibióticos etc. produzidos nesses processos são percebidos como mecanismos de regulação que facilitam processos sintrópicos de assimilação, crescimento e acúmulo de energia. Esses organismos são as formas mais versáteis, capazes de viver em um amplo espectro de condições: de ambientes extremamente ácidos a extremamente alcalinos, muito quentes ou muito frios, com muito ou sem oxigênio, sob altas e baixas pressões. São praticamente inextinguíveis. Diante de qualquer distúrbio grave em escala local ou global, eles estão sempre prontos para retomar a sucessão natural de acordo com as condições existentes.

Ao longo do tempo, as interações entre essas formas de vida e o ambiente produzem uma grande diversidade de compostos orgânicos, cada vez mais complexos e estáveis. Essas interações acontecem tanto pelas associações entre si quanto pela assimilação de minerais disponibilizados por intemperismo. Os primeiros solos são formados à medida que a decomposição da biomassa, fruto do metabolismo desses organismos, cria substrato em quantidade suficiente para que propágulos de formas mais complexas de vida consigam evoluir ou se estabelecer. Apesar de intenso, este é apenas o começo de uma longa história. Depois ainda virão os **sistemas de acumulação**.

As primeiras diferenças substancialmente perceptíveis entre os sistemas de colonização e os primeiros estágios dos sistemas de acumulação são a presença de solo e o estabelecimento das primeiras plantas. Ainda não são as que fazem parte de nossa alimentação (nós, animais de porte médio-grande). Aqui, as plantas que crescem são aquelas fibrosas (que têm muita lignina), que podem possuir espinhos e cujas folhas são duras, estreitas e indigestas para nós. A fauna dos sistemas de acumulação é, na sua maioria, composta por insetos e, mais adiante, aparecem pequenos animais como roedores, pequenos pássaros e répteis. No conjunto da microvida do solo, predominam as bactérias. Ainda segundo Ernst, nessa fase a relação entre carbono e nitrogênio é alta. Isso significa que a decomposição da matéria orgânica é lenta. Não há muita circulação de água e também não há muito fósforo disponível para as plantas. Todos esses indicadores, no entanto, não são vistos por Ernst como pontos a serem corrigidos. Cada uma dessas características estaria, segundo sua interpretação, em perfeita coerência com as estratégias ideais para aquele passo sucessional dos sistemas. Nesse caso, a estratégia é acumular reservas. A "gordura" do ecossistema é o carbono orgânico, resultado do metabolismo da vida que, aos poucos, acumula-se acima e abaixo do solo. Nesse sentido, Ernst entende que a tarefa que precisa ser realizada naquele momento está sendo realizada graças, justamente, às condições que assim o permitem.

Para garantir essas condições favoráveis, confluem precisamente as características antes descritas — ampla relação C:N, pouca água, pouco fósforo disponível, fauna composta apenas por pequenos animais e plantas pouco exigentes em termos de nutrientes e água. Voltaremos a cada um desses itens. Mas, antes, vejamos quais seriam as próximas fases.

À medida que os sistemas de acumulação avançam, a densidade das plantas aumenta e a quantidade de matéria orgânica passa a ser suficiente para cobrir o solo durante todo o ano. Esse feito traz um duplo benefício: a camada de vegetação protege o solo dos impactos do sol, chuva e vento, e funciona como um isolante térmico que previne grandes oscilações de temperatura. Agora, esse ambiente favorece a proliferação de mais bactérias, algas, e, adiante, cresce a proporção de fungos que ocupam as camadas mais superficiais do solo e que contribuem para a decomposição de material lenhoso. Toda essa ativação proporciona um novo salto de complexidade para o lugar. De agora em diante começamos a transitar para os **sistemas de abundância**.

O aumento da ação microbiológica resulta em maior injeção de nitrogênio, o que gradativamente estreita sua relação com o carbono, acelerando a decomposição da matéria orgânica sob e sobre o solo. A leitura que Ernst faz disso é a de que nessa nova fase a estratégia já não é mais a de "acumular gordura", mas sim a de escoar excedentes. Os sistemas de abundância podem dispor do recurso acumulado nas fases precedentes para dar um passo além no sentido da complexidade. Agora conseguem prosperar espécies vegetais mais exigentes, com folhas largas, tenras e que carregam grande variedade de frutos. Um dos bordões mais repetidos por Ernst é "a transformação da matéria orgânica oriunda de madeira resulta em frutificação". Ou seja, galhos e troncos digeridos no próprio ambiente são o melhor adubo para as plantas que o habitam. Ao serem decompostos pelos microrganismos, que agora se multiplicam em um solo constantemente protegido, esses materiais se transformam em terra preta, em húmus, o que significa boa estrutura e alta capacidade para reter a água — uma característica bastante útil, uma vez que nessa fase passa a haver grande circulação de água. Agora é prevista a presença de animais de porte grande, pois não lhes faltam comida, nem abrigo, nem função. O fósforo, que antes era escasso, passa a ficar amplamente disponível. Enfim, em comparação com os sistemas anteriores, os principais parâmetros dos sistemas de abundância são: estreita relação C:N, muita água, muito fósforo disponível, fauna composta por grandes animais e plantas muito exigentes em termos de nutrientes e água. Aqui, mais uma vez, Ernst reitera que a tarefa que precisa ser realizada nesse estágio está sendo realizada precisamente porque as condições dadas assim o permitem. O que isso quer dizer afinal? As sucessões das plantas, dos animais e até mesmo dos microrganismos do solo são relativamente mais simples de serem compreendidas. A cada passo da sucessão essas comunidades testemunham um incremento de níveis de complexidade. Mas como se explicam os parâmetros de água, fósforo e relação de carbono/nitrogênio segundo a perspectiva das dinâmicas sintrópicas da vida?

Como já dissemos, Ernst entende que os sistemas de acumulação são fases de acúmulo de recursos e que, por isso, a ampla relação carbono/nitrogênio neles observada se justifica, pois estaria de acordo com essa estratégia. Sendo assim, modificar essa condição pode atrapalhar catastroficamente a realização das tarefas previstas para esse estágio. Um exemplo disso seria a adição de adubos nitrogenados (fossem eles de origem orgânica ou sintética) para forçar "solos pobres" a produzirem ciclos de plantas anuais como grãos ou hortaliças, por exemplo. O que parecia ser apenas uma "correção básica", acaba sendo um enorme desserviço, sob essa nova perspectiva. Ainda que funcione para estabelecer plantas que desejamos (embora inadequadas às condições dadas), herda-se um lugar mais degradado após a colheita, com menos carbono orgânico no solo. O uso de adubo em áreas em sistemas de acumulação requer cuidado e só se justifica, do ponto de vista ecológico, quando o agricultor visa dar um impulso na sucessão natural, adicionando muitas outras espécies de todos os consórcios sucessionais subsequentes, de forma a acelerar as dinâmicas de transformação da matéria orgânica (falaremos mais sobre isso na p.120, em "Adubação e irrigação").

Da mesma forma, para Ernst os sistemas de acumulação possuem pouca água não porque ela está em falta, mas sim porque essa característica é compatível com o solo que ainda não desenvolveu uma estrutura grumosa capaz de absorver e reter umidade. Nessa fase, não faria muito sentido haver chuvas constantes, pois estas lavariam os nutrientes de um substrato ainda frágil e instável. As plantas que pertencem a essa etapa não sofrem por falta d'água, pois elas possuem estratégias específicas de respiração e armazenamento de água. A produção de biomassa, por sua vez, ainda é modesta porque é proporcional ao estágio sucessional das dinâmicas da vida que a decompõem.

O solo parcialmente descoberto não favorece que nele se proliferem e se mantenham microrganismos capazes de mobilizar nutrientes durante todo o ano. Ernst reforça que uma das consequências disso é a pouca disponibilidade de fósforo para as plantas. Na realidade, o fósforo é um mineral bastante abundante no planeta. O problema é que, geralmente, ele está preso às rochas ou em formas inacessíveis às plantas — como hidróxidos de ferro e de alumínio, silicatos de alumínio e carbonatos de cálcio[53]. Os processos que naturalmente disponibilizam fósforo no solo são resultado de uma cadeia sistêmica que só ocorre em ambientes com as condições certas de temperatura, umidade, propriedades físico-químicas, pH e condutividade elétrica[54]. Alcançar o patamar ideal desses parâmetros depende, em grande parte, dos processos de vida presentes no ambiente. Nos sistemas de acumulação, esses processos ainda não estão completamente ativados. O fósforo é um elemento essencial para o desenvolvimento vegetal, principalmente na fase de frutificação. Por isso, solos com pouco fósforo disponível costumam ser considerados "pobres" e a solução mais evidente acaba sendo a suplementação por meio de fertilizantes externos. Mas, assim como ocorre com o nitrogênio, a proposta de Ernst não é a da remediação. Para ele, não há o que se remediar. Segundo sua explicação, o fósforo também está relacionado com o crescimento e a manutenção de animais de grande porte. Portanto, o pouco fósforo dos sistemas de acumulação é coerente com a presença apenas de animais de pequeno porte nessas fases. Todo esse cenário muda quando passamos para os sistemas de abundância.

Para Ernst, o fósforo é um dos elementos de que a vida dispõe para escoar excedentes. Segundo suas classificações, os animais presentes nos sistemas de abundância são de maior porte, como os grandes herbívoros, por exemplo. Esses animais são capazes de manejar vastas áreas e de dispersar sementes de frutos maiores. Para tanto, eles demandam mais energia se comparados aos pequenos animais dos sistemas de acumulação. Nas células,

---

[53] MENDES, I. C.; REIS, F. B. Jr. *Microrganismos e disponibilidade de fósforo (P) nos solos: uma análise crítica*. Planaltina (DF): Documentos Embrapa Cerrados, 2003.

[54] SHEN, J.; YUAN, L.; ZHANG, J. et al. Phosphorus dynamics: from soil to plant. *Plant Physiol.*, v.156, n.3, 2011, p.997-1005.

o transporte de energia acontece principalmente por meio da síntese e quebra de moléculas de ATP (adenosina trifosfato), ou seja, precisam de fósforo. Enquanto nos sistemas de acumulação sua disponibilidade é limitada, nos sistemas de abundância ele é mobilizado por bactérias e fungos que solubilizam fosfatos. Ou seja, agora os processos naturais relacionados à disponibilização de fósforo estão ativados. Quando olhamos para o ciclo do fósforo pelas lentes da Agricultura Sintrópica, entendemos mais profundamente por que é mais eficiente trabalhar com processos de vida do que com o aporte de nutrientes. Com a água é a mesma coisa.

Ernst defende que as dinâmicas presentes nos sistemas de abundância impulsionam a circulação de água. Isso porque, a partir do momento em que há excedentes, um sistema de circulação e distribuição torna-se necessário. As plantas que pertencem a esse estágio possuem outras estratégias de transpiração que, por sua vez, favorecem a condensação do vapor d'água e, consequentemente, a formação de nuvens de chuva (mais sobre isso na p.120, em "Adubação e irrigação"). Ernst costuma repetir que a circulação de água doce nos continentes é uma consequência dos processos cumulativos da vida, e não o contrário. Quando Ernst Götsch disse em um dos nossos vídeos que "água se planta!", era a isso que ele se referia. Sim, é uma frase de efeito, e por isso foi tão reproduzida e adotada. Mas também é o resumo de uma interpretação significativamente inovadora sobre os processos naturais de disponibilização de recursos. Nesse contexto, Ernst Götsch costuma citar Lao Tsé (séc. VI a.C), de cujos ensinamentos parafraseia: "na natureza nada está para se fazer, tudo está sendo feito"[55].

---

55 Provavelmente do original 道常無為而無不為。 (Capítulo 37, *Tao Te Ching, Dao De Jung* – Lao Tsé).

Por vezes, as condições de um ecossistema nos levam a crer que há falta, ausência e escassez de recursos, nem que seja por certos períodos. No entanto, quando olhamos pela ótica da tendência sintrópica do conjunto da vida, vemos que mesmo nessas situações a sincronia se mantém. Esse é o caso, por exemplo, dos semiáridos tropicais prístinos (categoria que inclui as savanas) e das tundras. No primeiro caso as chuvas são concentradas em um breve período e, no segundo caso, o verão é bastante curto. Contrariando expectativas, Ernst Götsch afirma que esses são representantes de sistemas de abundância. Tanto nos trópicos secos quanto nas regiões frias do Ártico, o grande pulso de produção de biomassa é concentrado em poucos meses. Essa condição, que a princípio poderia ser interpretada como um fator limitante, na verdade está perfeitamente alinhada com a estratégia desses ambientes de processar sua biomassa, qual seja, por meio de herbívoros migratórios de médio e grande portes. A presença desses animais é compatível com a necessidade, nesses casos, de manejar muitos hectares. Não fossem eles, a biomassa produzida se perderia por oxidação. Com eles, ela é metabolizada em novos níveis de complexidade, dando sentido e continuidade à produção sintrópica inicial das plantas.

A presença de animais adequados a cada estágio de transformação de biomassa é, para Ernst, mais uma evidência da estratégia sintrópica do planeta. Para exemplificar o ciclo anual e complementar entre fauna e flora, Ernst descreve o comportamento de algumas plantas como a catingueira (*Caesalpinia pyramidalis*), cujas folhas são venenosas para os animais enquanto a planta está em sua fase de crescimento, mas que deixam de ser tóxicas e caem justamente no período de escassez de gramíneas. Ou seja, quando é necessária uma forragem alternativa para alimentar a fauna, as mesmas folhas antes intragáveis se tornam palatáveis.

No balé da vida tudo se encaixa. No caso das regiões frias, os animais hibernam até que seja necessário novo manejo, na primavera seguinte.

Ainda descrevendo sistemas de abundância, Ernst enfatiza que as gramíneas da savana são os estratos baixo e médio (como em uma floresta) e são manejadas pelos animais durante as chuvas e fim das chuvas. Já no período seco, é a vez de os frutos alimentarem a fauna (e por ela serem dispersos). Na caatinga brasileira, os animais se alimentam de plantas que produzem seus frutos durante o período de estiagem, como o cajueiro (*Anacardium occidentale*), o juazeiro (*Ziziphus joazeiro*), o jaracatiá da caatinga (*Jaracatia spinosa*) e a bananinha (*Rollinia leptopetala*). Essas são árvores que começam a emitir folhas no pico da seca, depois florescem e dão frutos antes das chuvas. Algumas delas, como o jaracatiá (*Jaracatia spinosa*), armazenam água em suas raízes, o que beneficia outras plantas durante a estiagem. Há assim um ritmo, uma orquestração entre gramíneas, frutos e folhas que, de forma complementar, garantem a alimentação dos animais durante todo o ano.

Os seres humanos são criaturas bastante exigentes do ponto de vista evolutivo, assim como outros mamíferos de médio e grande portes. O grande pousio do planeta precisou de muito tempo até reunir as condições específicas e suficientes para sustentar nossa existência. Nossos habitats dependem de constante circulação de água. Nossos solos devem ser ricos em nutrientes e microbiologicamente complexos para abrigar as plantas e animais dos quais nos alimentamos. No entanto, a cegueira das nossas fábricas de desertos tem empurrado todos os ecossistemas terrestres para sistemas de acumulação. Para confirmar isso, não precisamos de análises laboratoriais sofisticadas. Basta uma simples experiência: podemos ir até o campo agrícola mais próximo e tentar plantar espécies que fazem parte de nossa alimentação sem usar qualquer adubo ou irrigação. Caso, sem essas muletas, nossas plantas não consigam prosperar, devemos nos preocupar, pois esse é um sinal de que estamos perdendo nossos habitats. Isso significa dizer que os pré-requisitos para nossa sobrevivência estão descompassados com a realidade ambiental que nos cerca. Somos uma espécie de sistemas de abundância tentando sobreviver em sistemas de acumulação criados por nós mesmos.

Para reverter esse quadro — de fato, e não apenas disfarçá-lo recorrendo ao pacote agroquímico — precisamos restaurar as dinâmicas naturais que criam os recursos que precisamos. Depois de entendermos a lógica dos grandes sistemas, falta olharmos mais de perto como é que as espécies transitam através do tempo. É disso que falaremos na seção a seguir, sobre a sucessão natural.

EXCEÇÕES QUE CONFIRMAM A REGRA

Segundo a percepção de Ernst Götsch, existem ambientes propensos à permanência em determinados sistemas em virtude de suas condições geomorfológicas. Em locais de transição do topo do morro para a ladeira, por exemplo, é favorecida a permanência em sistemas de acumulação, já que a biomassa é perdida por gravidade. Outros exemplos, comumente citados por Ernst, são os lados mais sombreados dos morros das matas de neblina nos subtrópicos e das florestas de clima temperado, tanto no hemisfério norte como no sul, onde predominam coníferas, pinus e araucárias. Esses ambientes têm camadas espessas de matéria orgânica, formam turfas e não se percebe a presença de muitos animais de porte grande, em virtude da pouca atividade de decomposição. Já o lado ensolarado pode avançar para sistemas de abundância, pois ali é favorecida a formação de terra fértil, ciclagem de biomassa no solo e, consequentemente, há muitos animais. O espectro em que a vida se expressa também

> funciona como um seguro. Ou seja, em caso de necessidade, ali há um banco de reserva de espécies que pode ser acionado para começar a regeneração em locais que sofreram grande distúrbio. Exemplo: diante de uma degradação severa, um vale que antes era composto por espécies de sistema de abundância vai precisar da ajuda das espécies de sistema de acumulação de áreas vizinhas para conseguir se recuperar.

Sucessão natural — As espécies no tempo

"A sucessão natural das espécies é o pulso da vida, o meio no qual a vida atravessa o espaço e o tempo."
Ernst Götsch

Há que se ter em mente que nenhum ambiente passa de um sistema de colonização à abundância em um piscar de olhos, ou pela ação de apenas uma comunidade de plantas e animais. Cada etapa requer, grosso modo, muitos ciclos de crescimento e renovação de espécies e informação. Para Götsch, na relação dinâmica que se estabelece entre um ciclo e outro não há competição nem entre as diferentes espécies de um mesmo consórcio, nem entre os diferentes consórcios de espécies. O que existe é "uma relação de criadores e criados entre os consórcios com ciclo de vida mais curto e aqueles com ciclo mais longo"[56]. No coração dessa sincronização de consórcios está a **sucessão natural** — um conceito ecológico que Ernst Götsch recruta para orquestrar seus plantios, e a partir do qual classifica as

---

[56] GÖTSCH, E. *Break-through in agriculture*. Rio de Janeiro: AS-PTA, 1995.

espécies como: **placentas**, **secundárias**, **clímax** e **transicionais**. Cada uma das ondas dos ciclos cumulativos do "Gráfico da Vida" (Figura 2 , p. 70) é composta pelo conjunto desses passos sucessionais. Na Figura 3, é possível visualizar uma dessas ondas ampliada.

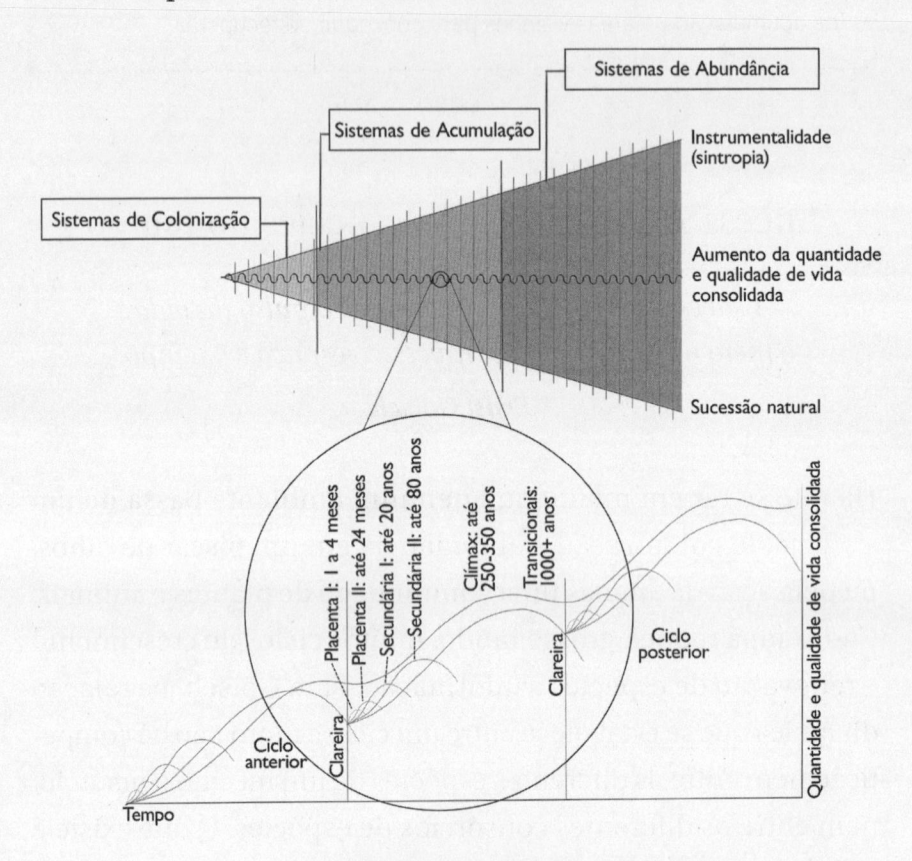

Figura 3 Gráfico da Vida segundo Ernst Götsch: representação dos ciclos cumulativos da vida, com destaque para os ciclos curtos.

Fonte: Adaptada a partir da concepção de Ernst Götsch (não publicado).

Na ecologia, as definições de sucessão ainda passam por constantes releituras. Até os dias atuais, não existe na ciência um consenso sobre os mecanismos que a impulsionam, nem sobre por que ela acontece[57]. No entanto, em linhas gerais, podemos dizer que a sucessão natural (ou sucessão ecológica) é a alteração das comunidades de plantas e animais, em determinado lugar, ao longo do tempo. Algumas teorias defendem que há um ponto de chegada, um objetivo final, estável, no qual o ambiente seria ocupado por uma **comunidade clímax**. A ideia de uma comunidade clímax definitiva é hoje rejeitada pela maioria dos ecologistas, bem como por Ernst Götsch — que utiliza o termo **clímax**, mas em diferente contexto, como explicaremos adiante.

A relativização da ideia de clímax se deu na ciência pelo entendimento de que um outro evento também faz parte da sucessão: o **distúrbio**. Distúrbio é uma ocorrência que altera a estrutura de determinado ambiente. A formação de uma clareira seria um exemplo de distúrbio. Clareiras geralmente são formadas pela queda de vegetação envelhecida, mas também podem ser causadas pela ação de animais, raios, ventos etc. Por entender que esses fenômenos são tão naturais quanto todo o resto, o distúrbio foi incorporado como uma etapa constituinte da transformação dos ecossistemas[58].

Para Ernst Götsch, clareiras representam a transição para um novo ciclo sucessional no sentido da complexidade. Seria intuitivo pensar que uma clareira impõe uma redução, e não um aumento nos níveis de complexidade. Mas, ao admitirmos que o comportamento e o metabolismo de sucessivas comunidades de plantas e animais resultam em um aumento do capital natural

---

57 Não é nosso objetivo dissertar sobre a evolução do conceito de sucessão ecológica, nem apontar as diferenças entre um ou outro autor. O que nos interessa aqui é pavimentar um percurso, na medida do possível didático, que garanta a compreensão do contexto em que a sucessão é percebida e aplicada na Agricultura Sintrópica, segundo o pensamento de Ernst Götsch.

58 MEINERS, S. J.; PICKETT, S. T. A.; CADENASSO, M. L. *An integrative approach to successional dynamics: Tempo and mode of vegetation change*. Cambridge University Press, 2015.

(ou "a quantidade e qualidade de vida consolidada", como Ernst diz), a ocorrência de uma clareira passa a ser entendida como uma chance de reinvestimento desse capital. Desde que a clareira não tenha sido provocada pelo fogo, toda a biomassa e processos de vida acumulados nos ciclos precedentes darão suporte ao estabelecimento de espécies mais exigentes. Mesmo as espécies que se repetem do ciclo anterior têm agora a possibilidade de expressar outros fenótipos, adequados às alterações positivas nas condições iniciais para seu estabelecimento. Ou seja, dessa forma uma clareira significa o início de um novo ciclo sucessional que partirá de um patamar de fertilidade maior se comparado aos ciclos anteriores.

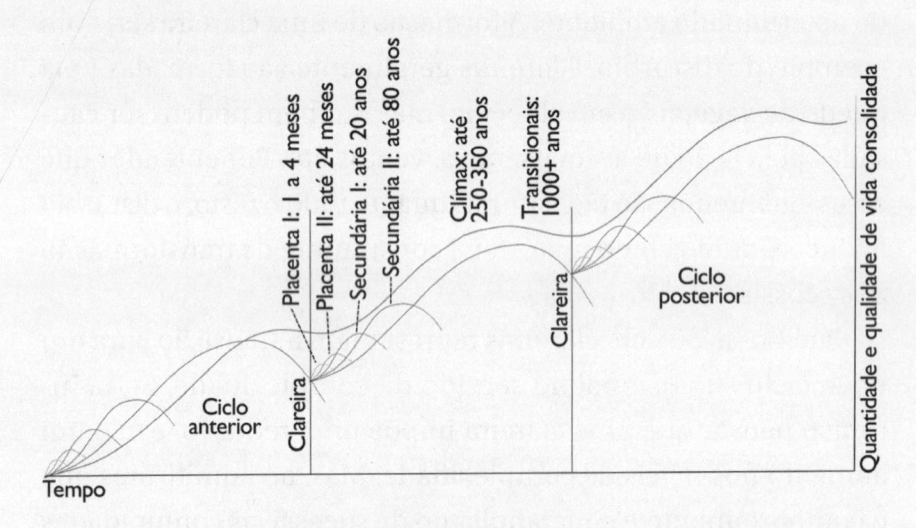

Figura 4 Sucessão natural no tempo: representação ampliada dos passos sucessionais do Gráfico da Vida de Ernst Götsch. Cada curva representa um consórcio estratificado de plantas.

Fonte: Adaptada a partir da concepção de Ernst Götsch (não publicado).

As primeiras plantas que surgem após a ocorrência de uma clareira são as de rápido crescimento — **placentas** —, que em poucos dias dominam a paisagem. As placentas são plantas não lenhosas que na agricultura chamamos anuais ou bianuais (entre elas estão a maioria das nossas hortaliças, os feijões, grãos, trevos etc.). Ernst Götsch sugere uma analogia direta entre a lógica da regeneração de um ecossistema e a lógica de regeneração de um organismo. Nesse caso, as espécies classificadas como placenta, quando em uma situação de distúrbio, reagem imediatamente para "cicatrizar a ferida" e para gestar um novo "embrião", ou seja, espécies de ciclos de vida mais longos.

Não por acaso, dentro da classificação de espécies de placenta também costumam estar aquelas que chamamos de "matos", "ervas invasoras" ou "ervas daninhas". Como essas são espécies que não costumamos cultivar (e que a princípio não têm valor econômico), tendemos a olhá-las com uma certa miopia que nos impede de reconhecer a importante função ecológica que cumprem naquele ecossistema e naquela situação. Quando acionadas, tal qual as plaquetas do nosso sangue, e com grande eficiência, elas criam uma camada que protege o solo da incidência direta do sol, da chuva e do vento. Isso é fundamental para que o próximo passo da sucessão possa acontecer. Mas, antes de partirmos para ele, vamos ainda olhar mais de perto para as dinâmicas que caracterizam a placenta.

Em ambientes naturais, a placenta já está predefinida pelo ciclo anterior. Ou seja, é composta por um conjunto de sementes já presentes no solo, tanto as advindas das espécies que ali habitaram no início daquele ciclo sucessional quanto aquelas trazidas por dispersores até o momento da formação da clareira. Isso compõe um tapete genético cicatrizante pronto para entrar em ação. Providencialmente, essas plantas também funcionam como um viveiro natural para as espécies de crescimento mais lento. Daí a precisão do nome "placenta", ou seja, aquela que nutre e protege o embrião (espécies de ciclo mais longo) por meio de sua biomassa, de seu sombreamento e, potencialmente, de suas interações via raízes.

Tal como em um organismo, Ernst Götsch sugere que "o dano à placenta provoca o aborto do embrião". Da mesma forma, uma placenta sem embrião para proteger e nutrir também perde sua função. A metáfora pode parecer muito dura, mas, se olharmos para os ecossistemas com a mesma empatia com que olhamos para nosso corpo, a tragédia é bastante simétrica. No caso de ambientes constantemente perturbados, como os campos de cultivos de espécies anuais e bianuais, o frequente retrabalho do solo por distúrbios químicos ou físicos (com ou sem plantio direto) impede o curso da sucessão vegetativa, condenando o ecossistema a permanecer em um estágio inicial de regeneração. Trata-se de um organismo impedido de crescer e evoluir.

As espécies herbáceas normalmente não são consideradas na literatura florestal — afinal, não são espécies florestais. No entanto, entender que a formação da floresta começa com espécies não florestais é crucial, seja para agricultura seja para restauração ou reflorestamento. Para Ernst Götsch, não considerar esses primeiros ciclos como parte da formação de uma floresta é uma negligência que resulta em interpretações errôneas e práticas que degradam o ecossistema, empurrando-o cada vez mais na direção contrária do Gráfico da Vida (Figura 2), ou seja, rumo aos estágios iniciais de sistemas de acumulação. Considerá-los, pelo contrário, seria o que garante não só a manutenção, mas também o incremento da fertilidade do local trabalhado.

Ernst Götsch considera que o conjunto dos consórcios que compreendem um ciclo sucessional completo (de clareira a clareira) se assemelha em funcionalidade a um organismo. Portanto, é imprescindível que existam todos os consórcios sucessionais — da placenta ao clímax — para que o organismo cresça saudável, seja em um plantio, seja em uma área em regeneração. Uma pequena e frágil muda de uma espécie clímax, por exemplo, não prospera em um ambiente aberto, exposto ao sol e à chuva direta. Ela precisa ser precedida por todos os consórcios de ciclos mais curtos (placentas e secundárias) para se desenvolver (mais sobre isso na p.101, em "Recuperação pelo uso — a restauração sintrópica").

Ernst costuma dividir as placentas entre I e II. Dependendo do cultivo, é possível considerarmos subdivisões tais como placenta I (iniciais), placenta II (médias) e placenta III (tardias). Esse enquadramento mais detalhado pode ser bastante útil para fins de planejamento de uma operação comercial de hortaliças, por exemplo. Em geral, a partir do segundo ou terceiro ano esse primeiro ciclo de plantas é sucedido por arbustos e árvores capazes de viver algumas dezenas de anos — **secundárias**. Esse grupo, por sua vez, precede um terceiro conjunto de espécies, que seriam as árvores de crescimento muito lento e cujos ciclos de vida são muito longos — **clímax** — como ilustrado na Figura 4.

Tanto as espécies secundárias quanto as climáxicas, segundo Ernst, passam por um período de codefinição. Isso significa dizer que, durante o intervalo que compreende a placenta, o ambiente ainda consegue incorporar novas sementes de espécies secundárias e climáxicas que, somadas àquelas que já existiam no banco de sementes, irão compor o "fenótipo" daquele organismo. Em ambientes naturais, isso acontece graças ao trabalho dos dispersores. Nos nossos plantios, essa é a janela de oportunidade para completarmos a composição dos nossos consórcios. Nesse sentido, a fase de placenta logo após a clareira acolhe o máximo possível de informação genética, mas apenas parte do material disponível se expressará ao longo do desenvolvimento do sistema. À medida que se desenvolve, o sistema impede (ou filtra) a entrada de novos elementos.

Uma consequência prática imediata dessa interpretação pode ser observada na decisão do agricultor com relação ao espaçamento em que será feito o plantio. Procurando reproduzir a lógica de regeneração dos ecossistemas, Ernst Götsch recomenda que o plantio das espécies da placenta seja feito em espaçamento definitivo, diferentemente das secundárias e climáxicas, que devem ser semeadas em grande densidade (100 para 1, diz) para posterior raleamento (seleção pelos indivíduos mais sadios). As espécies secundárias (que também costumam ser subdivididas entre iniciais, médias e tardias) e climáxicas representariam o sistema ósseo (estrutural) do macro-organismo. "Enquanto a placenta segue a lógica generativa, as secundárias e climáxicas seguem a lógica regenerativa dos organismos", Ernst costuma dizer.

Há ainda um quarto grupo: as **transicionais**. Essas espécies costumam ser de estrato emergente de ciclo muito longo (podem viver milhares de anos) e persistem, ou transitam, por muitos ciclos de clareiras. Ou seja, a floresta se refaz inúmeras vezes sob suas copas. Como exemplos desse grupo, Ernst Götsch costuma citar a castanha-do-amazonas (*Bertholletia excelsa*), a samaúma (*Ceiba pentandra*), o jequitibá (*Cariniana* spp) e alguns carvalhos (*Quercus* spp).

É importante frisar que cada um dos pulsos representados na Figura 4 vai possuir o seu consórcio específico de placenta, secundária e clímax de acordo com o estágio sucessional dos grandes sistemas. Nas placentas de sistemas de abundância, por exemplo, estão muitas espécies da alimentação humana, como as hortaliças, raízes, grãos, legumes e até frutos como o mamão. Nas placentas de sistemas de acumulação, por outro lado, estão a maioria das ervas espontâneas específicas de cada local (falaremos mais sobre isso na p.148, em "Ervas daninhas").

Entendemos até aqui que as espécies se sucedem no tempo, e por isso não se sobrepõem. Falta entendermos como se organizam aquelas cujo ciclo de vida é coincidente. Para olhos acostumados com a monocultura, policultivos podem parecer caóticos. Mas a organização de um plantio sintrópico, que mimetiza a organização espacial de um ecossistema natural, é tão precisa quanto fundamental, como veremos a seguir.

Estratificação — As espécies no espaço

Em uma monocultura, seja ela convencional ou orgânica, a fotossíntese acontece em apenas um andar e enquanto durar o ciclo do cultivo. Já em ambientes naturais, as plantas distribuem-se em estratos distintos, nos quais cada espécie ocupa um espaço ideal onde possa expressar sua melhor performance. Algumas preferem o sol pleno e crescem por cima de suas vizinhas. Outras sentem-se melhor com a luz filtrada que chega próxima ao solo. Seria reducionista interpretarmos isso como uma adaptação competitiva por luz, ou uma disputa onde as mais altas usufruem da melhor posição enquanto as plantas de sub-bosque se conformam com o que restou, derrotadas. Sobre isso, Ernst reage com a ideia de que "seria o mesmo que dizer que as células presentes em determinado órgão em nosso corpo competem com outras de um órgão vizinho". Se tirarmos a competição como orientação interpretativa (falaremos mais sobre isso na Parte 4, "Amor, prazer, encantamento e ética"), os fenômenos observados parecem ser mais bem explicados pela leitura de que as espécies se diferenciaram coordenadamente, e que o resultado disso é o aumento da capacidade total do ecossistema de fazer fotossíntese e produzir biomassa. Essa hipótese é coerente com o cumprimento da tendência sintrópica (e coletiva) da vida de concentrar energia em níveis crescentes de diferenciação e complexidade. Longe de ser um campo de batalha, as plantas funcionam conjuntamente como uma vasta rede de pequenos painéis solares sobrepostos uns sobre os outros, cada qual com a capacidade de captar uma intensidade de luz. Mais fotossíntese significa maior produção de biomassa e maior quantidade de exsudatos liberados no solo[59]. Mais biomassa significa que mais resíduos entrópicos são concentrados em moléculas orgânicas. Mais moléculas orgânicas significa mais alimento para a vida, o que resulta em ambientes cada vez mais prósperos e saudáveis, e, por isso, propensos a concentrar ainda mais energia.

Ernst Götsch propõe uma certa diretriz na distribuição das plantas em cada um dos estratos, os quais convencionou classificar como: **emergente**, **alto**, **médio**, **baixo** e **rasteiro**[60]. Com o desenvolvimento dos sistemas, a tendência é chegar a uma distribuição da densidade que é maior nos estratos mais baixos e que vai diminuindo gradativamente até os mais altos, conforme ilustrado na Figura 5. Esse formato permite que a luz incida até os estratos mais baixos e garante um efeito termodinâmico essencial para manter a estabilidade térmica e hídrica do sistema. Essa é a distribuição ideal, típica de sistemas de abundância. Em sistemas de acumulação, no entanto, ocorre

---

59 Exsudatos são substâncias produzidas pelas plantas e liberadas no solo em volta das raízes (na rizosfera). Os exsudatos radiculares contendo metabólitos específicos impactam a macro e microbiota do solo, bem como a própria planta. Podem apoiar simbioses benéficas que influenciam na resistência a pragas, alteram as propriedades físico-químicas do solo, entre outras interações. — BERTIN, C.; YANG, X. H.; WESTON, L. A. The role of root exudates and allelochemicals in the rhizosphere. *Plant and Soil*, v. 256, 2003, p. 67-83.

60 Podem existir modulações como: rasteiro-baixo; baixo-médio; médio-baixo; médio-alto; e o estrato alto pode ser dividido entre alto-côncavo, alto-neutro e alto-convexo, conforme explicado por Fernando Rebello e Daniela Sakamoto: "Nos trópicos, Ernst Götsch identificou 11 estratos, ou seja, 11 andares de árvores e plantas, cada andar possuindo uma densidade específica de sombra. Conforme nos afastamos dos trópicos, em direção aos polos, temos uma diminuição no número de andares, em virtude principalmente da diminuição da energia luminosa oriunda do Sol". — REBELLO, J. F. S.; SAKAMOTO, D. G. *Agricultura Sintrópica segundo Ernst Götsch*. Reviver, 2021.

o inverso: há maior densidade de plantas nos estratos altos e menor nos estratos mais baixos. Isso tem a ver com o fato de que a distribuição da densidade dos estratos também está relacionada com a circulação de água no sistema.

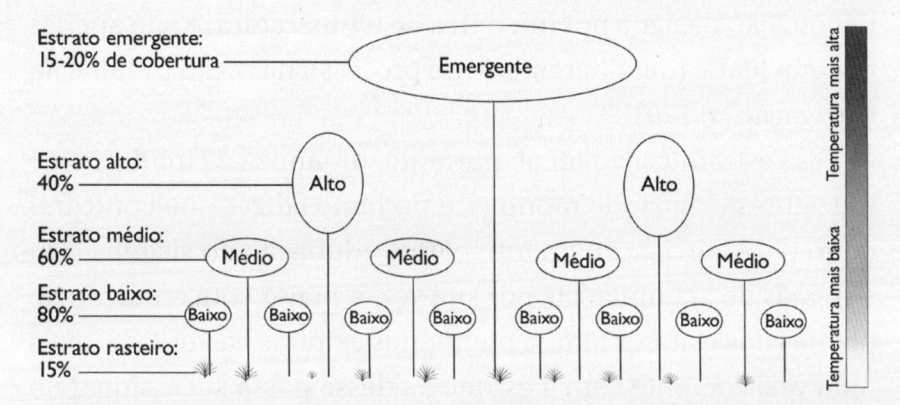

Figura 5 Vegetação em múltiplos estratos em sistemas de abundância: representação da distribuição dos estratos, taxas de ocupação e impacto na temperatura segundo Ernst Götsch.

Fonte: Elaborada pelos autores.

Conforme ilustrado na Figura 5, a transpiração resultante da fotossíntese resfria o ambiente. Por isso, quando há uma concentração de fotossíntese menor nos estratos mais altos e gradativamente maior nos estratos mais baixos, cria-se um gradiente positivo de temperatura, ou seja, vai ficando mais frio à medida que se atinge os estratos mais baixos. A temperatura mais baixa significa que a densidade das moléculas de água é maior quando próximas ao solo. Segundo Ernst e Schauberger[61], as plantas criam vórtices que

---

61 COATS, C. *Living energies: an exposition of concepts related to the theories of Viktor Schauberger.* Gill Books, 1995.

puxam a umidade da atmosfera como consequência dos efeitos da fotossíntese. Ou seja, o formato da estratificação dos sistemas de abundância permite que ela funcione como um sofisticado condensador. Além disso, um solo coberto por estratos de vegetação fica mais frio do que a água da chuva, o que favorece a penetração da água por diferença de temperatura, e não apenas por gravidade (detalharemos esse processo na seção "Adubação e irrigação", p.120).

Essa estratificação ideal, portanto, dinamiza a circulação de nutrientes e água, de modo que podemos dizer que contribui tanto para a irrigação quanto para a adubação do sistema. Em sistemas de acumulação, por sua vez, a maior concentração de plantas nos estratos altos e menor nos estratos baixos está, mais uma vez, coerente com a estratégia desse passo sucessional no qual uma grande circulação de água ainda não é presente, nem desejável (conforme explicado na seção "Grandes sistemas", p.68).

Uma situação anômala, no entanto, é o caso das monoculturas. Nelas ocorre a concentração exclusiva em apenas um estrato. Ou seja, não há distribuição de densidades (nem aquela ideal para condições de abundância nem aquela adequada para estágios de acumulação). Em um cultivo monodominante de eucalipto, por exemplo — ou de qualquer outra espécie arbórea —, toda a fotossíntese é concentrada apenas no estrato emergente, o que cria efeitos termodinâmicos exatamente contrários à circulação de água. Sem vegetação nos estratos baixos, o vento seco flui livremente próximo ao solo. Sem fotossíntese e sem transpiração, a temperatura próxima ao solo fica mais alta, o que cria um gradiente negativo. Ou seja, o solo agora perde água por diferença de temperatura e umidade, conforme ilustrado na Figura 6. Essa é a receita para a degradação, compactação e formação de desertos. Essa também é a receita para garantir o fracasso de projetos de reflorestamento mal planejados. Por conta de uma interpretação enviesada e anedótica, costuma-se culpar a transpiração das árvores pelo ressecamento de solos. Na realidade, a culpa é da falta de estratos. Uma floresta de sistemas de abundância com uma fisionomia que concentra maior volume nos estratos altos só ocorre de forma natural nos momentos exatamente precedentes a uma clareira[62]. Ou seja, em nossas monoculturas, em vez de mimetizarmos as dinâmicas naturais de uma floresta próspera, reproduzimos o cenário da crise.

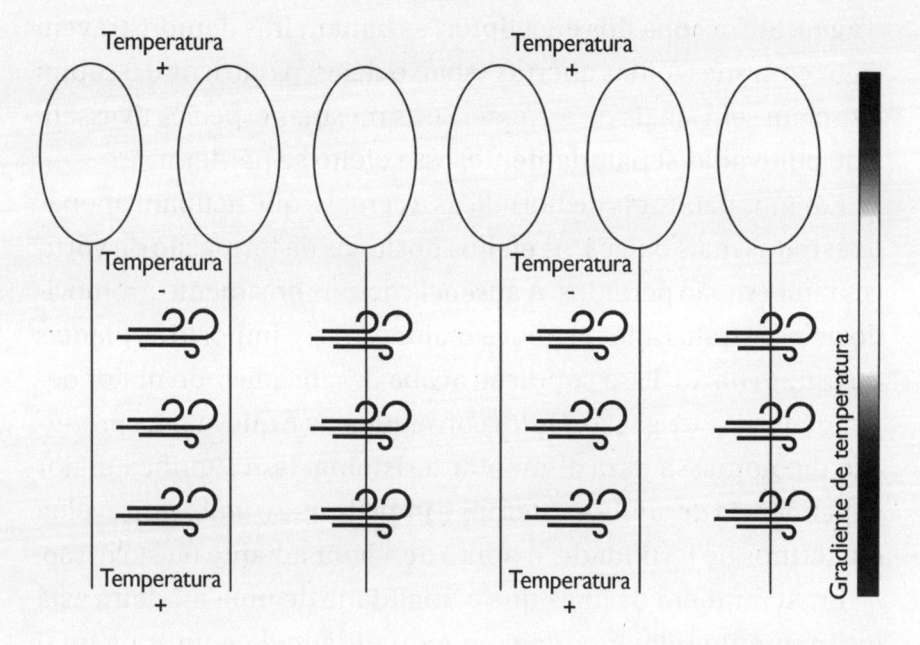

Figura 6 Vegetação em um único estrato: representação do impacto na temperatura e na corrente de ventos.

Fonte: Elaborada pelos autores.

[62] Quando as espécies de estratos mais altos de clímax começam a fechar o dossel, os estratos mais baixos passam a ficar menos densos em razão da diminuição na incidência de luz no sub-bosque. Götsch observa que essas condições são favoráveis para o crescimento de lianas e cipós, os quais, segundo sua interpretação, ao treparem nas árvores, amarrando umas às outras, estariam preparando as condições para a posterior formação de clareira.

Testemunhamos um exemplo muito didático desse efeito no interior do estado de São Paulo, onde Ernst implantou um sistema estratificado com capim colonião, cítricos, banana e eucalipto. Duas dessas espécies — eucalipto e banana — costumam ser taxadas como "secadoras de solo". Sim, ambas crescem muito rapidamente e por isso têm um metabolismo alto. No entanto, quando inseridas em sistemas que respeitam a distribuição e ocupação de estratos, o efeito é contrário. O ano era 2014, quando aconteceu uma das crises hídricas mais severas na região. Ainda assim, o sistema consorciado e estratificado não sofreu com falta d'água. Sob a copa dos eucaliptos, as bananeiras demonstravam vigor com suas folhas abertas. Abaixo delas, os cítricos e o capim cresciam sem sinais de estresse. Se as mesmas espécies tivessem sido cultivadas separadamente, esse efeito se perderia.

Em monoculturas de hortaliças e cereais, que ocupam apenas os estratos mais baixos, os efeitos positivos da formação de vórtices também são perdidos. A ausência do sombreamento promovido pelos estratos altos significa maior estresse imposto às plantas do estrato baixo. Essa condição acaba desencadeando maior dependência de irrigação. Outra consequência é que não há produção de biomassa para alimentar o sistema. Isso significa maior dependência de adubos externos e impede que o ambiente evolua em termos de fertilidade, a ponto de seguir adiante na sucessão.

Ernst também destaca que a qualidade de uma madeira está intimamente relacionada com a qualidade da sombra à qual ela foi submetida. Em trabalho que comparou anéis anuais de crescimento em árvores de florestas nativas e cultivadas, Schauberger alertou para o fato de que a supressão de estratos da vegetação resulta em deformações na madeira[63]. Em florestas

---

63 COATS, C. *Living Energies: An exposition of concepts related to the theories of Viktor Schauberger.* Gill Books, 1995.

naturais e estratificadas, os anéis anuais crescem simetricamente a partir do centro, criando círculos quase perfeitos. Nas florestas cultivadas, os anéis de crescimento apresentam-se ovalados, disformes em virtude da longa e não programada exposição dos fustes ao sol. Um caule assimétrico compromete a circulação de seiva da planta, afeta sua vitalidade e, consequentemente, abre portas para doenças e ataques de insetos. Ou seja, todos os cultivos de madeira em monocultura, cujos caules estão expostos ao sol direto, já nascem debilitados em virtude do desenho do plantio. A inobservância desse aspecto não apenas compromete a qualidade da madeira como também condena todos os indivíduos submetidos àquele sistema a uma situação de constante estresse, o que, por sua vez, afeta a síntese de proteínas da planta e aumenta sua taxa de transpiração[64].

A estratificação que se vê sobre o solo também acontece no subsolo. Um solo não se mantém fértil sem ser constantemente abastecido por exsudatos e por matéria orgânica proveniente de podas e derivada da decomposição de plantas, animais e raízes. Antes pensava-se que as raízes das plantas serviam apenas para sugar água e nutrientes. Hoje sabe-se que se trata de uma via de mão dupla, pois elas também despejam até 30% de sua produção de compostos orgânicos no solo. Esse fato intrigou cientistas. Para nossa mentalidade produtivista, competitiva e individualista, isso parecia um contrassenso. Por que uma planta descartaria tanto de seu valioso alimento? A evolução da microbiologia nas últimas décadas nos revelou que não se trata de um erro de cálculo (nem

---

64 PRIMAVESI, A. *Manejo ecológico do solo*. São Paulo: Nobel, 2002.

nosso, nem das plantas)[65,66,67,68,69]. Os exsudatos liberados pelas raízes alimentam uma infinidade de organismos com os quais ela possui uma íntima relação de trocas. São esses seres que mobilizam minerais, água, criam húmus e estruturam o solo. A nutrição, o crescimento, a resiliência à seca e a saúde integral das plantas dependem diretamente de suas relações com toda essa microvida (bactérias, fungos, microartrópodes, nematoides etc.). A porção física do solo (produção de húmus e a estrutura grumosa) também é resultado dessas mesmas dinâmicas da vida. Em um exercício de abstração, podemos observar nosso plantio biodiverso e estratificado e visualizá-lo espelhado abaixo da superfície do solo; diferentes sistemas radiculares, ocupando diferentes profundidades e distâncias laterais, cada qual em um estágio de desenvolvimento e produzindo diferentes exsudatos. Isso significa que não há interrupção dos laços simbióticos que garantem a distribuição de nutrientes e água para todos os integrantes daquele organismo. Na Agricultura Sintrópica, as raízes das plantas são percebidas como fontes de adubo e água para todo o sistema, não o contrário.

---

65 JACOBY, R.; PEUKERT, M.; SUCCURRO, A. et al. The role of soil microorganisms in plant mineral nutrition. Current Knowledge and Future Directions. *Frontiers in Plant Science*, v.8, 2017, p.1617.

66 BONKOWSKI, M.; VILLENAVE, C.; GRIFFITHS, B. Rhizosphere fauna: the functional and structural diversity of intimate interactions of soil fauna with plant roots. *Plant and Soil*, v.321, n.1-2, 2009, p.213-33.

67 MULLER, D. B.; VOGEL, C.; BAI, Y. et al. The plant microbiota: systems-level insights and perspectives. *Annual Review of Genetics*, v.50, n.9, 2016, p.211-34.

68 BULGARELLI, D.; SCHLAEPPI, K.; SPAEPEN, S. et al. Structure and functions of the bacterial microbiota of plants. *Annual Review of Plant Biology*, v.64, n.1, 2013, p.807-38.

69 VERBON, E. H.; LIBERMAN, L. M. Beneficial microbes affect endogenous mechanisms controlling root development. *Trends in Plant Science*, v.21, n.3, 2016, p.218-229.

Sucessão e estratificação juntas — Os efeitos dessa coordenação

"Plantar poucos elementos é o mesmo que querer formar uma criança e pensar apenas no dedo, no nariz ou no estômago dela. A criança é um macro-organismo. É preciso olhar para o macro-organismo. Assim também deveriam ser nossas plantações."

Ernst Götsch

Nos plantios sintrópicos é prevista a inclusão de consórcios estratificados em todas as etapas da sucessão. Plantas corretamente posicionadas em seu tempo (estágio sucessional) e em seu espaço (estrato) apresentam melhor performance. Isso se traduz em maior eficiência em sua síntese de proteína, o que resulta em plantas com mais saúde e densidade nutricional, e independentes de recursos externos, sejam eles orgânicos ou sintéticos. A vitalidade das plantas se reflete na saúde dos animais que delas dependem. Portanto, segundo essa lógica, só é possível existirem comunidades saudáveis de plantas e animais se os cultivos respeitarem critérios de sucessão e estratificação, mimetizando, assim, suas interações coevolutivas originais.

Nas zonas semiáridas brasileiras, era uma prática comum cultivar mamona (*Ricinus communis*) em monocultura. Nos anos 1990, quando o projeto *Policultura no semiárido*[70] introduziu a abordagem da Agrofloresta Sucessional, 750 famílias de pequenos agricultores começaram a combinar a mamona com outras plantas, tanto de ciclos mais curtos (feijão, milho, melancia e

---

70 VENTURA, A. C.; ANDRADE, J. C. S. Policultura no semiárido brasileiro. *Field Actions Science Reports [Online]*, Special Issue 3, 2011.

gergelim) como de ciclos mais longos (árvores de fruto, palma forrageira e madeira). Para além de colheitas diversificadas, alguns agricultores também viram um aumento na produção de mamona. No município de Orolândia, há registros de aumento de 60% na produtividade da mamona no campo de policultura se comparada à média regional da cultura plantada solteira na mesma safra[71]. Sem contar o benefício extra de herdarem uma plantação de fruta e madeira após a venda da mamona, em vez de um solo vazio e exposto.

Um plantio distribuído em consórcios sucessionais e estratos atende ao propósito de maximizar a fotossíntese ao mesmo tempo que se resolve o impasse do combate às ervas espontâneas, que, nesse caso, acabam não encontrando oportunidade de germinar. Ou seja, quanto mais nossos plantios respeitarem a lógica da sucessão e da estratificação, melhores serão suas condições para evitar o ataque de pragas e doenças, maior será sua resiliência hídrica e menor será a pressão de ervas indesejadas. Se, além de tudo isso, agronomicamente falando, a produção não fica para trás, não há nada mais atrativo.

Já sabemos que existem plantas com preferências de luz e ciclos de vida distintos. Então, por que não desenhar os nossos sistemas prevendo que um grupo de plantas irá suceder o outro quando o seu ciclo terminar, evitando qualquer interrupção no fluxo de fotossíntese, biomassa e exsudatos? Sempre haverá um conjunto de plantas prestes a assumir o próximo "turno", mantendo a vida no solo ativa. Se já entendemos que os organismos presentes no solo são diretamente responsáveis por sua estruturação e pelo transporte de nutrientes, não faz muito sentido interromper sua

---

[71] SANCHES, C. D. *A contribuição da sistematização de experiências para o fortalecimento do campo agroecológico e da agricultura familiar no Brasil.* Dissertação de Mestrado em Ciências Agrárias — Universidade Federal de São Carlos, Araras, 2011.

fonte de comida e proteção. Na natureza, e em desenhos sintrópicos, cada grupo de plantas depende do abrigo, da biomassa e dos exsudatos produzidos pelo grupo anterior para prosperar.

Existe uma grande diversidade de plantas no planeta. Dentro desse amplo cardápio, há espécies que se encaixam nas diversas etapas da sucessão natural e nos diferentes estratos. Infelizmente, não existem incentivos para que propriedades agrícolas lidem com colheitas de espécies diversas no mesmo empreendimento. Isso é visto como um pesadelo sob o ponto de vista logístico. Da mesma forma, não existem mercados organizados para tanto. Mesmo após 10 mil anos de agricultura, e com exemplos didáticos e óbvios de que toda simplificação e especialização na história das civilizações agrícolas resultou em degradação dos solos, seguimos passivamente operando sob a mesma cartilha. Em vez de adaptarmos nossos cultivos às engenhosas dinâmicas naturais de sucessão e estratificação — essas sim, com milhões de anos de testes e histórico bem-sucedido —, nossas sociedades agrícolas têm reiterado a escolha por frágeis modelos apoiados em repetições de monoculturas. Não fosse a negativa interferência humana, e considerando que um ciclo completo de clareira a clareira leva cerca de 250 anos, era para hoje termos florestas que vivenciaram 40 ciclos sucessionais cumulativos desde o fim da última era glacial. O que temos hoje, no entanto, é a estimativa de que 40% dos solos do planeta estão degradados, o que afeta diretamente metade da população humana[72]. Na próxima seção iniciaremos uma discussão que mereceria outro livro, mas que não poderíamos deixar de mencionar aqui: como a Agricultura Sintrópica poderia contribuir para a recuperação de áreas degradadas?

---

[72] UN, United Nations Convention to Combat Desertification. *The Global Land Outlook – Land Restoration for Recovery and Resilience*. 2.ed. Bonn: UNCCD, 2022.

O DILEMA DA BIODIVERSIDADE

O pensamento dominante na ecologia ainda crê que as florestas clímax apresentam menor diversidade porque as espécies que pertencem a esse grupo são as mais competitivas, e por isso tendem a suprimir as de ciclos sucessionais anteriores. Segundo essa visão, elas teriam desenvolvido mecanismos de dispersão e inibição que as tornariam mais eficientes que outras. Assim, a sucessão natural é percebida como uma corrida frenética em que cada time luta para eliminar adversários durante o percurso. Essa interpretação carregada da intencionalidade dogmática neodarwiniana supõe que o objetivo primordial da planta é vencer a batalha pela autopreservação. O efeito desse tipo de pensamento é desastroso tanto para a ecologia quanto para nossas relações sociais (mais sobre isso na "Parte 4"). A biodiversidade, segundo a abordagem proposta por Ernst, é uma ferramenta de que o macro-organismo dispõe para realizar as dinâmicas no sentido de aumentar a eficiência de seus processos sintrópicos. Aparentemente, a diversidade de espécies é menor em uma floresta clímax, mas, se fosse possível contabilizar a quantidade de interações e a produção de metabólitos secundários de todo o conjunto daquela etapa, talvez concluíssemos que essa nossa obsessão em ancorar análises na individualidade especista não se justifica. Árvores que sobrevivem algumas centenas ou mesmo milhares de anos desenvolvem seus ecossistemas particulares. As copas das florestas maduras abrigam uma enorme diversidade de espécies, a maioria ainda desconhecida pela ciência. Estima-se que esses organismos associados às árvores sejam interfaces entre a natureza orgânica e a atmosfera*. Além disso, a longevidade das árvores de clímax e transicionais lhes permite alcançar camadas profundas do solo, trazendo nutrientes e água para a superfície e vice-versa. Após cumprirem seus longos ciclos, deixam de herança um ambiente mais rico para o próximo ciclo sucessional. Sem corrida, sem disputa. Apenas cumprindo o seu papel e estabelecendo interações sintrópicas com outras espécies e com o ambiente que as cerca.

* NAKAMURA, A.; KITCHING, R. L.; CAO, M. et al. Forests and their canopies: achievements and horizons in canopy science. *Trends in Ecology & Evolution*, v.32, n.6, 2017, p.438-51.

Recuperação pelo uso —
A restauração sintrópica

Até aqui descrevemos por que e como os plantios da Agricultura Sintrópica ocupam os estratos em diferentes estágios sucessionais. Consórcios complexos se sucedem, fundamentados em uma leitura ecológica que incorpora o papel das relações colaborativas e a tendência sintrópica da vida. Ou seja, segundo a visão ecológica de Ernst Götsch, essa é a dinâmica por meio da qual a vida no planeta atravessa o tempo e cumpre sua orientação no sentido da complexificação. Como essa é a estratégia desenvolvida pela natureza em seus aproximados 3,5 bilhões de anos de experiência e evolução, essas são também, precisamente, as condições nas quais as porções física, biológica e química do planeta desempenham sua melhor performance. Consequentemente, árvores inseridas nesse contexto prosperam com vigor. Se achamos um desperdício não mimetizarmos essas interações coevolutivas dentro de nossa prática agrícola, o que esperar então de projetos de reflorestamento? Se o principal objetivo é plantar árvores, o que poderia ser melhor do que adotar a tecnologia da natureza que trouxe os ecossistemas até o patamar de fertilidade adequado para sustentar tais árvores?

Essa sugestão não seria relevante se os grandes projetos de reflorestamento empreendidos mundo afora estivessem apresentando ótimos resultados. Mas, infelizmente, esse não tem sido o caso. Projetos que já contam com algumas décadas de histórico não registram aumento da cobertura vegetal proporcional ao volume de investimentos que receberam e, em alguns casos, provocaram mais degradação, perda de biodiversidade e ressecamento do que se nada tivesse sido feito.

Não há como negar que a iniciativa de plantar árvores é apelativa e, por isso, atrai uma simpatia praticamente unânime. Não por acaso, de 1990 a 2020 o número de organizações com fins lucrativos voltadas para o plantio em massa de árvores aumentou em 288%. O monitoramento de suas ações, no entanto, é assustadoramente deficiente. Segundo estudo, apenas 5% dessas organizações mencionam a medição da taxa de sobrevivência dos plantios[73].

As metas e os desafios globais, além da hipersimplificação da ecologia traduzida em mercado de carbono, alimentam essa tendência de plantio indiscriminado de árvores[74]. A ideia é tão atraente, tão fácil de vender e de mobilizar doações que estamos fazendo vista grossa para o fato de que muitas dessas árvores simplesmente não estão sobrevivendo. Há vasta literatura sobre o que tem acontecido na China, na Índia, no México ou no Sahel[75,76,77,78]. A *Grande Muralha Verde* na África Subsaariana, por exemplo, que até agora já mobilizou 20 bilhões de dólares,

---

[73] MARTIN, M. P.; WOODBURY, D. J.; DOROSKI, D. A. et al. People plant trees for utility more often than for biodiversity or carbon. *Biological Conservation*, v.261, 2021..

[74] Um dos marcos foi o *Desafio de Bonn,* que em 2011 estabeleceu uma meta inicial de restaurar 150 milhões de hectares de terras degradadas e desmatadas globalmente até 2020 e 350 milhões de hectares até 2030. Em 2020, o Fórum Econômico Mundial anunciou uma iniciativa destinada a restaurar e cultivar um trilhão de árvores até 2030. A *Iniciativa Um Trilhão de Árvores* se apresenta como uma plataforma para governos, empresas e sociedade civil para dar apoio à *Década das Nações Unidas da Restauração de Ecossistemas* (2021-2030). Em 2021 a União Europeia se comprometeu a plantar 3 bilhões de árvores nos 27 Estados membros como parte do *Acordo Verde Europeu* e da estratégia florestal da UE para 2030.

[75] COLEMAN, E. A.; SCHULTZ, B.; RAMPRASAD, V. et al. Limited effects of tree planting on forest canopy cover and rural livelihoods in Northern India. *Nat Sustain*, n.4, 2021, p.997-1004.

[76] FLEISCHMAN, F.; BASANT, S.; CHHATRE, A. et al. Pitfalls of tree planting show why we need people-centered natural climate solutions. *BioScience*, v.94, 2020.

[77] CAO, S.; TIAN, T.; CHEN, L. et al. Damage caused to the environment by reforestation policies in arid and semi-arid areas of China. *AMBIO*, v.39, n.4, 2010, p. 279-83.

[78] WARMAN, J.; ZÚÑIGA, J. I.; CERVERA, M. *Análisis de los impactos en las coberturas forestales y potencial de mitigación de las parcelas del programa Sembrando Vida implementadas en 2019*. WRI México, 2021. Disponível em: https://bit.ly/2OPcT3g

registrou perda de 80% de tudo o que foi plantado desde o início dos anos 1980. Faltando metade do tempo programado para sua finalização, apenas 4% da meta foi atingida[79].

Essa coleção de insucessos pode ser explicada por um conjunto de motivos que vão desde não considerar os cuidados necessários pós-plantio, passando pela falta de rastreabilidade jurídica de responsabilidades, até chegar aos complexos conflitos sociais relacionados ao acesso e uso da terra. Mas, enquanto esses fatores são localmente específicos, o processo de decisão sobre quais espécies devem ser plantadas é bastante similar em todos os casos. Geralmente, são escolhidas espécies que faziam parte da fitofisionomia daquele ambiente antes de ele ser alterado, ou são selecionadas apenas com base no interesse de uso — como madeira para lenha, por exemplo. Não costuma fazer parte desse processo de decisão nenhuma avaliação sobre o estágio sucessional no qual o local se encontra. Áreas degradadas precisam ser entendidas como áreas nas quais houve uma constante interrupção da sucessão natural. Toda interrupção da sucessão ocorre à custa das reservas energéticas de que o local dispõe, levando-o a estágios cada vez mais iniciais de sistemas de acumulação. Já falamos longamente sobre isso nas seções anteriores e ainda voltaremos ao tema, trazendo exemplos, em "Nativas e exóticas", p.138. Aqui basta reforçar que projetos de reflorestamento de áreas que estão em sistemas de acumulação não podem se apoiar apenas em árvores de sistema de abundância (desnecessário dizer que nunca deveriam se basear em monoculturas de qualquer tipo), sob o risco de insucesso imediato (sentenciado pelo não estabelecimento das árvores) ou no curto prazo (quando as poucas árvores que

---

[79] WATTS, J. Africa's Great Green Wall just 4% complete halfway through schedule. *The Guardian*, set. 2020. Disponível em: https://bit.ly/3tWx2VK

sobrevivem não conseguem ter um desenvolvimento saudável a ponto de completarem seu ciclo e produzirem descendentes). Ou seja, a conclusão é flagrante: não adianta querer plantar árvores sem pensar no organismo floresta.

Na restauração sintrópica, plantar florestas não é apenas plantar árvores. Plantar florestas significa essencialmente ativar as dinâmicas de autossustentação que caracterizam uma floresta. É preciso recompor toda a sinfonia de ecossistemas capazes de sustentar plantas e animais a longo prazo. Costumamos dizer que a sucessão ecológica é como um filme. Todos concordamos que uma boa história respeita uma determinada concatenação dos eventos, certo? Pois então, se a sucessão ecológica é como um filme, os projetos de reflorestamento que começam com espécies clímax de sistemas de abundância seriam como uma história mal contada. No "roteiro da natureza" há espaço para a criatividade, só não se pode querer contar apenas a cena final do filme. Assim como uma piada que antecipa seu próprio desfecho, projetos de reflorestamento que não consideram a sucessão ecológica costumam apresentar resultados bastante embaraçosos.

Mas, sejamos justos, não é só de fracasso que vivem as iniciativas de reflorestamento. Na China, o governo fechou antigas pastagens para deixar a vegetação rebrotar naturalmente — o que chamaram de "reflorestamento natural"[80]. Em outros locais, pratica-se a chamada "regeneração natural assistida"[81] por concluir-se que vale mais a pena proteger e facilitar a germinação do banco de sementes do que investir em mudas pouco resistentes. No próprio famoso projeto de reflorestamento do Sahel,

---

[80] GERLEIN-SAFDI, C.; KEPPEL-ALEKS, G.; WANG, F. et al. Satellite monitoring of natural reforestation efforts in China's drylands. *One Earth*, v.2, n.1, 2020, p.98-108.

[81] FAO. *Restoring forest landscapes through assisted natural regeneration (ANR) — A practical manual*. Bangkok, Thailand: FAO, 2019.

concluiu-se que os únicos pontos em que a cobertura vegetal ganhou algum incremento significativo foram aqueles nos quais as comunidades adotaram a "regeneração natural administrada pelo agricultor" (FMNR, na sigla em inglês)[82]. Em vez de "muralha verde", propagandistas dessa iniciativa já começam a adotar a ideia de "mosaico de paisagem", numa tentativa desesperada de incorporar o sucesso não planejado de esforços individuais e apresentá-los como entrega do projeto milionário.

Nenhuma surpresa nos causa observar que, quando há algum relato de sucesso parcial nesses projetos, eles costumam estar relacionados com a aplicação de técnicas que basicamente confiam nos resultados da regeneração natural e do pousio. O pousio, do qual falamos na Parte 1, é mais uma vez uma lição, uma aula magna, constantemente ministrada em frente aos nossos olhos. O problema começa quando, depois de assistirmos a essa aula, admitimos que "não fazer nada" é o melhor que temos para oferecer pela recuperação de ecossistemas que foram degradados por nós mesmos. É muito pouco para o tamanho da nossa responsabilidade. Se pararmos para pensar, é mesmo um tanto constrangedor, além de ser potencialmente perigoso do ponto de vista social, supor que a exclusão das pessoas seja a melhor saída.

Por outro lado, se tomarmos a lição do pousio e transpusermos esse ensinamento para nossos projetos de reflorestamento, poderemos acelerar as etapas da sucessão e ativar os fluxos de recursos. Isso é exatamente o que propõe a Agricultura Sintrópica, que, aplicada à restauração, significa a possibilidade de projetarmos modelos de recuperação pelo uso que incluem o ser humano na natureza.

---

[82] REIJ, C.; GARRITY, D. Scaling up farmer-managed natural regeneration in Africa to restore degraded landscapes. *Biotropica*, v.48, n.6, 2016, p. 834–843.

Globalmente, a mais proeminente fonte de emissão de carbono dentre os usos da terra é a expansão da agricultura de *commodities*[83]. Todo ano, milhões de hectares de florestas são convertidos a outros tipos de uso. Precisamos, com urgência, encontrar novas abordagens capazes de recuperar os ecossistemas que foram perdidos e, ao mesmo tempo, conter a pressão da agricultura industrial, incluindo nessa equação toda a complexidade da dimensão humana. Uma tarefa que não é nem fácil, nem procrastinável.

---

83 IPBES. The IPBES Assessment Report on Land Degradation and Restoration. In: MONTANARELLA, L.; SCHOLES, R.; BRAINICH, A. (eds.). *Secretariat of the Intergovernmental Science-Policy Platform on Biodiversity and Ecosystem Services*. Bonn: Germany, 2018. Disponível em: https://doi.org/10.5281/zenodo.3237392

PARTE 3

Reinterpretando conceitos conhecidos

Nesta Parte 3, convidamos o leitor para uma revisão de alguns conceitos que são bastante comuns no universo da agricultura e da ecologia. A proposta é fazer uma incursão que, por vezes, pode questionar algumas certezas e noutras pode propor novas semânticas — afinal, mudanças de paradigmas também geram mudanças de sintagmas. Certamente, muitas propostas interpretativas aqui apresentadas irão encontrar ressonância em saberes antigos e conhecimentos tradicionais há muito consolidados. Se não os citarmos terá sido por falta de conhecimento, e não por decisão de exclusão de narrativas. Para nós, Ernst Götsch foi o catalisador inicial dessas reflexões, por isso recorreremos a muitas histórias que vivenciamos com ele e a outras tantas que o ouvimos contar. Aqui compartilhamos o percurso de desconstrução pelo qual nós tivemos que passar, na esperança de que ele possa servir de atalho para outras pessoas.

Pragas e doenças — Os agentes de otimização

O naturalista e cientista austríaco Viktor Schauberger, no início do século XX, sugeria que os parasitas deveriam ser considerados a **polícia sanitária da natureza**[84]. Na década de 1940, Albert Howard (referência na literatura ocidental sobre agricultura orgânica) se referia às pragas como **agentes de fiscalização**[85]. Ernst Götsch, portanto, não está sozinho quando

---

84 COATS, C. *Living energies: an exposition of concepts related to the theories of Viktor Schauberger.* Gill Books, 1995.

85 HOWARD, A. *An agricultural testament.* London, New York, Toronto: Oxford University Press, 1940.

propõe que as pragas sejam chamadas de **agentes de fiscalização do departamento de otimização de processos de vida**. Mesmo cargo, apenas com o acréscimo da repartição à qual tal agente pertenceria. O que as três propostas têm em comum é o fato de abordarem o problema por uma perspectiva diferente da convencional. Diante de pragas e doenças, em vez de atacarem os efeitos, procuram antes identificar suas causas. Em vez de focarem o combate ao sintoma, buscam aquilo que o originou. De modo geral, portanto, esse tipo de abordagem volta sua atenção para a identificação e a correção das condições que propiciam o estabelecimento inicial das ditas pragas.

A relação entre a saúde da planta e o ataque de pragas no nível do indivíduo foi descrita por Francis Chaboussou na década de 1970, quando lançou as bases para a **teoria da trofobiose**. Segundo essa teoria, o ataque de pragas e doenças aconteceria como consequência de distúrbios metabólicos de plantas. Ou seja, quando incapazes de formar compostos complexos (proteossíntese e metabolismo de carboidratos), as plantas acabariam por produzir aminoácidos livres e açúcares redutores, que são exatamente a comida ideal para insetos e outros fitopatógenos. Críticos dessa teoria questionam a ausência de um maior aprofundamento na explicação bioquímica dessa dinâmica. Por outro lado, proliferam exemplos em campo que evidenciam que produzir plantas com baixo vigor é o mesmo que produzir comida para inseto. Isso significa que, além do prejuízo que o ataque de pragas causa na produção, estamos falando que a comida que estamos produzindo para nosso consumo não é comida de gente. O problema de comermos comida de inseto não é porque nossa dignidade é maior do que a de qualquer inseto, mas sim porque nossas necessidades nutricionais são um tanto diferentes daquelas requeridas para sustentar a vida de um pulgão, por exemplo.

Principalmente depois da industrialização da agricultura, acentuou-se a produção de alimentos que podem até ter dado conta de nossas necessidades calóricas, mas que se demonstraram insuficientes para suprir os nutrientes dos quais necessitamos para ter boa saúde[86]. Não parece ser por acaso o fato de que, no mesmo período, houve entre os seres humanos um aumento dos casos de doenças relacionadas à dieta. Estamos comendo comida de inseto, muitas vezes com o tempero de resíduos contaminantes oriundos de biocidas usados em sua produção. De diabetes, hipertensão, doenças degenerativas, diversos tipos de câncer, até a contraditória coexistência de uma epidemia de obesidade com altas taxas de desnutrição. O fato é que nosso sistema alimentar, desde a produção até a distribuição, está na UTI.

Ainda na década de 1930, William A. Albrecht (1888-1974) foi um dos primeiros a destacar a relação entre a qualidade do solo, a qualidade dos alimentos e a saúde humana. Para Albrecht, o declínio da saúde das pessoas seria como uma fotografia bioquímica da degradação da saúde de nossos solos. Depois dele, muitos outros pesquisadores viriam a corroborar suas afirmações com a ideia de que há uma inter-relação constante entre o solo (em sua porção física, química e biológica), o equilíbrio dinâmico do ecossistema e o bom desenvolvimento das plantas. Ana Primavesi[87] contribuiu enormemente para o estudo dos solos tropicais, chegando a importantes conclusões como, por exemplo, a de que o chamado **manejo integrado de pestes** não

---

[86] Estudo realizado nos Estados Unidos e Reino Unido demonstra que o conteúdo mineral médio de cálcio, magnésio e ferro em repolhos, alfaces, tomates e espinafre diminuiu em 80% a 90% entre os anos de 1914 e 2018. — WORKINGER, J. L.; DOYLE, R. P.; BORTZ, J. Challenges in the diagnosis of magnesium status. *Nutrients*, v.10, 2018, p.1202.

[87] PRIMAVESI, A. *Manejo ecológico de pragas e doenças: técnicas alternativas para produção agropecuária e defesa do meio ambiente.* São Paulo: Nobel, 1988.

deveria ser apenas uma coleção de procedimentos de combate, mas sim um tratamento com vistas ao balanço ecológico de todo o plantio. Atualmente, os avanços dos estudos de microbiologia nos revelam cada vez mais as intrínsecas relações entre plantas, micro e mesovida do solo, disponibilização de água e nutrientes e troca de informações químicas em uma incrível rede de cooperação ecossistêmica.

É vasta a quantidade de informações a que hoje temos acesso. Ainda assim, pouca coisa muda se não mudarmos a maneira como enfrentamos o problema. Já erramos algumas vezes por considerar que a solução seria apenas identificar os elementos faltantes e garantir sua reposição, fosse ela química ou biológica. Evoluímos da simplista aplicação de nitrogênio, fósforo e potássio (NPK) para a consideração de outros micronutrientes, até chegarmos ao entendimento do papel da vida no solo. Isso é ótimo. Mas, apesar de a abordagem ser mais complexa, o paradigma continua sendo, quase sempre, o da remediação. A ativação das dinâmicas naturais, por outro lado, poderia indicar uma solução na direção de uma verdadeira independência de aportes externos. Na Agricultura Sintrópica, esse objetivo é perseguido principalmente considerando-se o papel da sucessão e entendendo o agroecossistema como um organismo por inteiro, como já tratamos nos textos da Parte 2.

A contribuição de Ernst Götsch nesse tema remete à sua própria história. Os primeiros passos desse percurso foram dados quando ainda trabalhava na Suíça em pesquisa de melhoramento genético na instituição estatal FAL Zürich-Reckenholz. As plantas forrageiras eram seu objeto de estudo, e o objetivo central era buscar genótipos que fossem mais resistentes às doenças. Apesar de ter conseguido resultados significativos, como na participação que teve no desenvolvimento de cultivares de alto rendimento de trevo (*Trifolium pratense*)[88], uma inquietação residual impulsionou Ernst à seguinte pergunta: "será que não conseguiríamos maior resultado se procurássemos modos de cultivo que proporcionem condições favoráveis ao bom desenvolvimento das plantas em vez de criar variedades que suportem os maus-tratos a que as submetemos?". Para testar sua hipótese, a partir de 1974, Ernst arrendou áreas na Suíça e Alemanha para iniciar seus experimentos em campo. Influenciado pelas teorias da Agricultura Ecológica lançadas por Hans Peter Rush e Hans Müller, combinou sistematicamente o cultivo de verduras, raízes e grãos, em busca de interações que alcançassem maior produtividade. Obteve bons resultados, mas não parou por aí. Deu um passo importante ao integrar a fruticultura aos seus desenhos, e observou os benefícios que as árvores traziam para o sistema, tanto pela matéria orgânica oriunda das madeiras quanto pela interação com outras espécies. Com isso obteve resultados ainda melhores, e seguiu experimentando. Propôs aumentar a diversidade dos consórcios, incluindo não só espécies de ciclo curto, mas de todos os estágios de ocupação florestal. A cada nova estratégia, observava uma melhora na resposta produtiva do sistema. Emergia dali seu entendimento de que as dinâmicas de sucessão natural deveriam ser incorporadas à agricultura, favorecendo, tal como em uma floresta, o estabelecimento de ecossistemas com níveis de organização cada vez mais amplos. Nesse período, uma de suas conclusões foi a de que a saúde da planta não dependia exclusivamente do tratamento dado a ela como indivíduo. Tampouco se resumia à rotação de culturas ou consórcios. Era preciso levar em conta o ecossistema por completo,

---

[88] Ernst relata que essas variedades são fruto do trabalho secular de agricultores da região do Cantão de Berna (Suíça) que, desde o século XV, selecionaram e mantiveram cerca de 320 espécies forrageiras, com as quais ele teve a oportunidade de trabalhar em sua pesquisa genética na década de 1970.

na sua forma e na sua função, considerando as relações dentro da mesma espécie (intraespecíficas) e entre espécies diferentes (interespecíficas), tanto acima quanto abaixo do solo.

Ao chamar pragas e doenças de "agentes de fiscalização do departamento de otimização de processos de vida", Ernst sugere, portanto, que tais agentes teriam sido designados para a função de intervir naqueles organismos (ou em partes deles) que não estejam atendendo à tendência sintrópica da vida. Mais do que apenas uma excentricidade linguística, isso sugere uma postura investigativa diversa. Quando confrontado com o ataque de uma praga ou doença, o agricultor sintrópico procura entender qual o manejo que aqueles agentes vieram realizar. Nesse sentido, pragas e doenças seriam precisos indicadores de organismos, ou de parte deles, que não estão na sua melhor performance e que precisam, portanto, de intervenção. Seja com o grilo que ataca o feijão, ou com a formiga que corta a mandioca, com a bactéria que ataca o cítrico ou com o fungo que ataca o cacau, é sempre possível aprender com tais agentes qual tarefa está sendo realizada. Pode ser a correção de uma estratificação, um rejuvenescimento de tecidos ou a remoção de células do macro--organismo que precisam ser substituídas. Se o agricultor antecipar a realização daquelas tarefas, as ditas pragas irão fiscalizar o plantio, mas, diante da ausência de função, elas seguirão em busca de outro lugar em que possam ser úteis e necessárias. Não há nada de fantasioso nisso. Sabe-se que o agente patológico, ainda que presente, pode não se manifestar em um organismo saudável. Para Ernst Götsch esse foi o caso, entre outros exemplos, tanto da vassoura-de-bruxa em seus plantios de cacau no sul da Bahia quanto do *greening* no pomar de laranjas que manejou no interior de São Paulo.

Entre *greenings* e vassouras-de-bruxa

O Brasil já foi o segundo maior produtor de cacau do mundo. Hoje está longe dessa posição, entre outros motivos, por causa de uma praga: a vassoura-de-bruxa. A doença está associada à ação do fungo *Moniliophtora perniciosa* que afeta o desenvolvimento e a frutificação do cacaueiro, podendo levar à necrose de partes da planta e a morte do pé de cacau em casos mais severos. Na década de 1980, cerca de 600 mil hectares de cultura de cacau no sul da Bahia foram afetados pela doença. A região, que até então era reconhecida por fornecer um cacau de qualidade superior, viu sua participação no mercado internacional cair vertiginosamente. Essa história tem contornos trágicos com traços de ação criminosa na forma de introdução aparentemente deliberada da doença[89].

À parte as polêmicas, o que de fato aconteceu foi que, seguindo as orientações da "Comissão Executiva do Plano da Lavoura Cacaueira", a Ceplac, os produtores de cacau da região passaram por várias etapas de tentativa de combate à doença, as quais incluíram: aplicação de pesticidas e herbicidas, interdição de áreas, poda drástica, rebaixamento de copa, além de técnicas de clonagem. Nenhuma dessas ações obteve resultados significativos no controle da doença. Além disso, ainda provocou o desmatamento de grandes porções de Mata Atlântica, visto que, àquela época, 70% do cacau da região era produzido no **sistema cabruca**, ou seja, basicamente tendo o cacau sombreado por espécies nativas. Dessa forma, as tentativas de erradicação da vassoura-de-bruxa foram responsáveis pela derrubada de árvores de grande porte típicas desse bioma, tais como jacarandá, cedro, jequitibá e ipê,

---

[89] PEREIRA, J. L.; ALDEIDA, L. C.; SANTOS, S. M. *Doença vassoura-de-bruxa na Bahia: tentativas de erradicação e contenção*. Bahia: Centro de Pesquisas do Cacau (Ceplac), 1996.

tudo sob os auspícios de expressas recomendações técnicas que, no fim, provaram-se ineficientes.

Nessa mesma época e nesse mesmo local, Ernst Götsch fez uma leitura diferente da interação do fungo com a planta. Ele passou a conduzir o manejo do cacau e das outras espécies do consórcio a partir da observação da ação da vassoura-de-bruxa. As podas assim empregadas operaram, entre outros efeitos, no sentido do rejuvenescimento das plantações. Com isso, interromperam o ciclo de vida do fungo e garantiram a produção. O controle da doença foi feito, portanto, prescindindo de qualquer defensivo agrícola, fosse ele químico ou orgânico. Em vez de usar biocidas, Ernst voltou sua atenção para a dinâmica do sistema, garantiu que as árvores que sombreiam o cacau não estivessem envelhecidas, orquestrou a quantidade ideal de entrada de luz para cada fase (floração e frutificação) e organizou a matéria orgânica resultante das podas. Os resíduos da colheita do cacau também foram distribuídos de modo que sua decomposição fosse estimulada, evitando assim os amontoados de casca que costumam favorecer a proliferação de organismos potencialmente maléficos.

Um outro exemplo bem-sucedido dessa interpretação aconteceu em uma plantação de laranjas orgânicas em uma grande fazenda no interior de São Paulo, onde Ernst Götsch prestou consultoria entre 2013 e 2016. O *greening*, também conhecido por *huanglongbing* ou **amarelão dos citros**, é uma doença causada por uma bactéria que gera enormes prejuízos para a citricultura mundial. Tal como no caso do cacau, Ernst Götsch propôs uma abordagem diferente da recomendação convencional, a qual orienta a remoção das plantas atacadas na tentativa de exterminar o psilídeo (inseto vetor da doença). Em vez disso, Ernst dedicou seus esforços a fortalecer o agroecossistema por completo. O primeiro passo foi incluir outras espécies de diferentes estratos na linha das árvores. Entre elas: inhame, banana-prata, manga, jaca, gliricídia, pau-de-balsa, teca, eucalipto e ipê. Além disso, plantou capim *Panicum maximum* (variedade mombaça) entre as linhas das árvores. O objetivo era dar ao cítrico o ambiente e as dinâmicas de sombra e manejo que mimetizassem as florestas semideciduais de onde é originário. As duas podas anuais das árvores mais altas garantiriam o fornecimento de biomassa lenhosa e controle de luz nas fases de florescimento e maturação dos frutos. O capim ceifado em média oito vezes ao ano era organizado sobre as linhas das árvores e fornecia a cobertura e nutrição do solo durante todo o ano. Em menos de 2 anos, sem qualquer medida de controle sanitário, observou-se a redução drástica do ataque de *greening*[90].

Guerra contra o inimigo (de quem?)

Assim como aquele tipo de medicina que tende a estudar mais a doença do que a saúde, nas ciências agrárias há uma tendência muito maior a se estudar o que foge do padrão do que o que seria o padrão. Há muito mais pesquisas sobre insetos considerados pragas do que sobre o conjunto da comunidade de insetos que frequenta uma plantação, por exemplo. Além das "pestes", no máximo dá-se alguma atenção aos seus chamados "inimigos naturais". Mas pouco se investe em bioinventários completos. Não apenas por serem custosos, mas também porque se julga que eles não gerariam nenhuma informação diretamente útil para a agricultura. Encontraremos maior produção de dados a esse respeito em trabalhos na área da ecologia e da agroecologia,

---

[90] Disponível em: http://www.projetoverena.org/images/ARQUIVOS/Relatorio-Toca.pdf. Acessado em: jul. 2020

que demonstram inequivocamente que, quanto mais biodiverso for um agroecossistema, maior será o equilíbrio entre insetos, e menor será o impacto das pestes[91].

O mesmo acontece no mundo micro. Bactérias e fungos causadores de doenças são vastamente documentados. Esses organismos são minuciosamente esquadrinhados, na esperança de se encontrar uma solução definitiva para o seu combate. A cada nova arma que usamos, tais organismos desenvolvem novas defesas. Por outro lado, há um promissor renascimento das preocupações em se trabalhar com a rede de vida do solo. Cada vez mais pesquisadores destacam e aprofundam os conhecimentos sobre o papel da vida do solo no transporte e na disponibilização de nutrientes, de água, bem como seu papel na constituição de suas importantes propriedades físicas (formação de agregados, permeabilidade etc.). Esses estudos expandem o conhecimento sobre as famosas **micorrizas**, associações fúngicas benéficas para as plantas, bastante conhecidas desde o final do século XIX[92].

Mais recente (e de particular interesse) é o estudo dos endófitos — microrganismos presentes no solo e em praticamente todas as plantas, desde a semente até o tecido adulto. Tais microrganismos influenciam as plantas em aspectos tão diversos quanto: transporte de nutrientes (do solo para as plantas), modulação do desenvolvimento do tecido vegetal, aumento da tolerância das plantas a fatores de estresse, bem como o aumento da re-

---

91 LOPES, P. R.; ARAÚJO, K. C. S.; RANGEL, I. M. L. Sanidade vegetal na perspectiva da transição agroecológica. *Revista Fitos*, Rio de Janeiro, v.13, n.2, 2019, p.178-94.

92 Em 1882, o cientista polonês Franciszek Kamieński descreveu pela primeira vez a presença de uma camada espessa de micélio nas zonas meristemáticas das raízes das plantas. Em 1885, o Professor Albert Bernhard Frank cunhou o termo **micorriza** para aquilo que descreveu como uma simbiose mutualística generalizada na qual o fungo extrai nutrientes tanto do solo mineral quanto do húmus e os transloca para a planta hospedeira, a qual, por sua vez, nutre o fungo. De lá para cá, inúmeros trabalhos científicos têm abordado o fenômeno. — TRAPPE, J. M. A. B. Frank and mycorrhizae: the challenge to evolutionary and ecologic theory. *Mycorrhiza*, v.15, n.4, 2004, p.277-81.

sistência e a supressão de patógenos existentes. Endófitos são bactérias e fungos que participam de um **ciclo rizofágico**[93]. Ou seja, esses organismos são capazes de transitar entre o solo e os tecidos vegetais por meio da raiz, realizando todas aquelas funções anteriormente descritas, sem qualquer constrangimento, e com enorme eficiência, uma vez que oferecem para a planta não apenas elementos mineralizados, mas também moléculas completas[94].

Como se isso já não fosse suficientemente fascinante, há ainda estudos que demonstram que fungos, quando colonizados por endófitos, não apenas deixam de causar doenças como também passam a fornecer nutrientes para as plantas[95]. Um experimento[96] feito com o fungo *Fusarium oxysporum* sobre sua atuação patogênica em tomateiros demonstrou isso. Segundo os pesquisadores, a capacidade de bactérias endofíticas colonizarem o *Fusarium* garante não apenas que o fungo não cause doenças como também faz com que ele participe ativamente do fornecimento de nutrientes para a planta. É tentador especular que o fungo patogênico, quando não precisa realizar sua função por meio de doenças, simplesmente muda de emprego! Ou seja, uma vez que a planta está sadia, o "agente de otimização de processos de vida" encontra outra estratégia para continuar contribuindo para a tendência sintrópica. Esse é, sem dúvida, um campo da ciência que merece maior atenção.

──────────

93 WHITE, J.; KINGSLEY, K.; VERMA, S. et al. Rhizophagy cycle: an oxidative process in plants for nutrient extraction from symbiotic microbes. *Microorganisms*, v.6, n.3, 2018, p.95.

94 PAUNGFOO-LONHIENNE, C.; RENTSCH, C.; ROBATZEK, S. et al. Turning the table: plants consume microbes as a source of nutrients. *PLoS ONE*, v.5, n.7, 2010, p.e11915.

95 WHITE, J. F.; KINGSLEY, K. L.; ZHANG, Q. et al. Review: endophytic microbes and their potential applications in crop management. *Pest Management Science*, 2019.

96 CONSTANTIN, M. E.; DE LAMO, F. J.; VLIEGER, B. V. et al. Endophyte-mediated resistance in tomato to *Fusarium Oxysporum* is independent of ET, JA, and SA. *Frontiers in Plant Science*, v.10, 2019, p.979.

À parte os aprofundamentos científicos, naturalmente necessários nessa área, podemos dizer que, de um modo geral, parece ficar cada vez mais claro que não faz sentido transformar nossas plantações em campos de guerra. Fica também a suspeita se aqueles que rotulamos como inimigos são realmente o nosso maior rival ou se são apenas um sintoma das limitações atuais do nosso próprio conhecimento.

Adubação e irrigação — A muleta que cria a debilidade

Nós trabalhamos e vivemos por bastante tempo no interior do Rio de Janeiro, em uma região na qual chovia cerca de 1.200 mm ao ano. Em determinados períodos, sobretudo no inverno, era comum ouvirmos de quem trabalhava com agricultura comentários, em tom de reclamação, de que estava tudo muito seco, e de que sem irrigação não era possível plantar.

Frequentamos muitas regiões da Bahia a trabalho. A Bahia (um grande estado brasileiro que é praticamente do tamanho da França) possui dentro de seus limites porções dos biomas Mata Atlântica, Caatinga e Cerrado. Os níveis de precipitação variam entre 600 mm nas regiões semiáridas e 2.000 mm nas regiões mais úmidas e costeiras. Naturalmente, quem trabalha nos interiores mais secos costuma manifestar inveja de quem trabalha próximo ao litoral. Dizem que são abençoados por terem água. No entanto, quando vamos para o litoral, as queixas são muito semelhantes. A reclamação pela falta d'água é prontamente acionada, sempre que as expectativas de chuva são frustradas.

Essas percepções comparativas dentro de um mesmo território são muito comuns. Mudamo-nos para o sul de Portugal e lá a noção era a mesma. O sul árido pode receber metade das chuvas do norte. Ainda assim, ambos são absolutamente dependentes de irrigação para seus cultivos. Mudamo-nos para a Espanha e depois a Itália, e vimos que a história se repete. Independentemente da quantidade de chuva, grande parte dos agricultores alega não ter chances de sucesso sem irrigação.

Acompanhamos Ernst Götsch durante uma consultoria em uma fazenda de banana de quase 3 mil hectares no Suriname. Esperávamos uma percepção diferente sobre irrigação em uma região que recebe 3.000 mm de chuvas por ano. Mas não. Foi lá que conhecemos um dos maiores sistemas de irrigação que havíamos visto.

Seria então um erro? Uma avaliação equivocada de todos os responsáveis por esses plantios? Se retirássemos a irrigação ainda seria possível produzir? Infelizmente, não. Não naquelas condições de monoculturas e solos desprotegidos. Sem irrigação, possivelmente os cultivos não iriam sobreviver. Morreriam não apenas de sede, mas também desnutridos. No caso das bananeiras do Suriname, não por culpa da espécie, mas por conta da maneira como elas são cultivadas e manejadas: monoculturas plantadas em canteiros convexos altamente dependentes de fertirrigação. Ou seja, juntamente com a água da irrigação é entregue um conjunto de nutrientes. O constante aporte de adubo na superfície do solo não estimula o desenvolvimento das raízes, as quais ficam rasas, fracas, deixando as plantas quimicamente dependentes e suscetíveis a tombar com os ventos. Um verdadeiro caso de muleta que cria a debilidade.

Não à toa, o agronegócio da bananicultura se vê ameaçado com doenças cujo controle é cada vez mais difícil. São necessárias muitas manobras retóricas para encontrar algum argumento convincente que justifique a insistência na reprodução desse modelo. Condições históricas, geopolíticas e econômicas podem até explicar o contexto ou descrever as circunstâncias em que esse cenário se estabeleceu, mas não podem nunca justificar sua manutenção.

Seja no semiárido, seja nos trópicos úmidos, a necessidade de irrigação é percebida como uma precondição para a viabilidade da agricultura — um vício técnico atrelado a uma forma de desenhar cultivos que remonta a uma mentalidade inaugurada há milênios, desde o início das civilizações hidroagrícolas. De volta ao sertão da Bahia, mais precisamente na cidade de Cafarnaum, sempre nos lembramos do agricultor Jurandir, que entrevistamos no documentário *Neste Chão Tudo Dá* (2007). Ele havia mudado sua forma de produzir ao entrar em contato com o trabalho de Ernst Götsch por meio de um dos seus alunos, Henrique Souza. Antes disso, Jurandir produzia em seu terreno monoculturas de feijão, de mamona ou de milho. Durante o ciclo agrícola, normalmente vivenciava duas agonias. A primeira era a espera pela chuva milagrosa que estabeleceria sua plantação. A segunda era a torcida para que as cotações da mamona, do feijão ou do milho estivessem altas no momento da venda. Depois do contato com os sistemas estratificados e sucessionais, em vez de monoculturas, Jurandir passou a cultivar mais de 30 variedades de plantas. Também produzia mel e leite em pleno sertão nordestino. Conheceu e se acostumou com uma mesa farta. A saúde da esposa, que andava precária, se restabeleceu. Em poucas horas de conversa, Jurandir resumiu sua experiência com uma poderosa reflexão. Ele nos relatou que antes precisava rezar para que a cotação de sua colheita de feijão estivesse alta para conseguir comprar todo o resto de que precisava. Agora ele se dava conta de que o preço do feijão alto podia até significar mais dinheiro em seu bolso, mas também queria dizer que haveria "muita gente passando fome lá na frente" e isso não poderia ser bom. Com seu novo modelo de produção, as visitas ao mercado ficaram mais raras. Do solo seco, raso e pedregoso, o agricultor sempre tinha o que colher durante todo o ano. Sua "irrigação" era apoiada no plantio adensado de palma forrageira e sisal, plantas capazes de guardar grandes quantidades de água em sua biomassa. No período seco, ele as podava para cobrir o solo, irrigar outras plantas e para dar aos animais. O que se via era uma mudança na gestão dos recursos que já estavam disponíveis, uma reorganização do agricultor no espaço e em sua mediação com ele. Ele disse que também já foi um daqueles que invejava quem morava no litoral mais chuvoso. Mas, depois que aprendeu a usar cactos e agaves como caixas-d'água vivas, concluiu, "hoje eu vejo que a seca está na cabeça das pessoas".

A Fazenda Olhos d'Água de Ernst Götsch no sul da Bahia é localizada em uma formação geológica chamada Tabuleiro de Valença, cujos solos[97] são considerados inaptos para o cultivo de cacau[98]. Para piorar, quando chegou na região em meados da década de 1980, a fazenda estava bastante degradada, com muitas áreas erodidas onde nenhuma vegetação conseguia prosperar. Qualquer engenheiro agrônomo ou técnico agrícola iria desencorajá-lo do plano de plantar cacau naqueles solos com pH abaixo de 5,0. Mas Ernst estava convicto de que seu plano funcionaria.

---

[97] "Solos latossólicos e podzólicos argilosos com alto grau de intemperização, profundos, ricos em óxido de ferro e alumínio, considerados pouco férteis, derivados de rochas gnaissicas e graníticas de planalto cristalino, do período Pré-Cambriano". — PENEIREIRO, F. M. *Sistemas agroflorestais dirigidos pela sucessão natural: um estudo de caso*. Mestrado em Ciências Florestais, Esalq: Piracicaba, 1999.

[98] De acordo com Götsch, a região era considerada não propícia e não recomendada para o cultivo de cacau segundo órgãos de assistência rural local.

Diante do desafio, ele tinha duas opções: a primeira era se valer de correção de solo, adubos e irrigação para ampliar suas chances de estabelecer uma cultura para a qual o solo não estava pronto. A outra, e a opção escolhida, era buscar a fertilidade via sucessão natural, plantios estratificados e processos de vida. Após a implantação e manejo de uma longa lista de espécies[99], ele consegue finalmente estabelecer seus cacaueiros. Ernst conta que nessa época chegou a comprar algumas cargas de esterco para fertilizar as jovens plantas, mas nunca chegou a usá-las. Sua intenção era "educar" suas árvores a investirem suas raízes para baixo, e não se habituarem à "mamadeira", diz. Caso adubasse ou irrigasse, as raízes dos cacaueiros se concentrariam próximas à superfície — tal como as bananeiras do exemplo no Suriname — e não seriam estimuladas a buscar camadas mais profundas do solo. Em vez de escolher o caminho aparentemente mais óbvio, Ernst preferiu criar as condições para que as plantas prosperassem por si sós. As árvores que cresciam sobre o cacau, assim como todas que o precederam, "ensinavam o caminho", diz, além de fornecerem proteção e nutrientes por meio de sua biomassa e interações micorrízicas. Ainda que o começo tenha sido difícil, hoje vemos o resultado. Em anos de seca, os cacaueiros de áreas vizinhas sofrem e muitas vezes sequer compensam a colheita. Já na Fazenda Olhos D'Água — previamente conhecida como Fazenda Fugidos da Terra Seca — produzem normalmente.

Para Ernst Götsch, fazem parte da evolução dos ecossistemas tanto os seus elementos formadores quanto os processos que os constituem. Ambientes naturais prosperam prescindindo de insumos externos. Um sistema agrícola também poderia seguir

---

[99] Detalhes desse processo em: Götsch, Ernst. *Break-through in agriculture*. Rio de Janeiro: AS-PTA, 1995.

o mesmo caminho se incorporasse a sucessão e a distribuição de estratos, em vez de interrompê-los. Daí a célebre frase de Ernst Götsch: "a Agricultura Sintrópica não é uma agricultura de insumos, mas sim uma agricultura de processos", da qual já falamos na Parte 2. Quando olhamos para as dinâmicas ecossistêmicas no tempo e no espaço, concluímos que nada excede e nada falta. A diferença está em quais processos estão ativados e quais não estão — ou ainda não estão.

Ernst costuma defender a premissa de que "onde há vida, há água, e não o oposto". Ele crê que são as dinâmicas de evolução da vida que organizam os ciclos hidrológicos nos continentes. Em vez de usar energia elétrica, bombas, sondas e tubulações, a natureza se vale da vida e de seus sofisticados mecanismos físicos e químicos para impulsionar a circulação de água e nutrientes no planeta. Uma floresta não se limita à sua porção verde visível. As florestas interagem com os corpos d'água e também com a atmosfera, conectando-os. Essa premissa hoje é amparada pela "teoria da bomba biótica", que demonstra por meio de modelos atmosféricos que são as florestas que bombeiam umidade para o interior dos continentes[100]. O cientista Antonio Nobre explica que:

> A transpiração abundante das árvores, casada com uma condensação fortíssima na formação das nuvens e chuvas — condensação essa maior que aquela nos oceanos contíguos —, leva a um rebaixamento da pressão atmosférica sobre a floresta, que suga o ar úmido sobre o oceano para dentro do continente, mantendo as chuvas em quaisquer circunstâncias[101].

[100] MAKARIEVA, A. M.; GORSHKOV, V. G. Biotic pump of atmospheric moisture as driver of the hydrological cycle on land. *Hydrol. Earth Syst. Sci.*, v.11, 2007, p.1013-33.

[101] NOBRE, A. D. *O futuro climático da Amazônia: relatório de avaliação científica*. São José dos Campos, SP: ARA: CCST-INPE: INPA, 2014.

Nobre ainda descreve que a floresta libera gases chamados **compostos orgânicos voláteis biogênicos**. Ao entrarem em contato com a radiação solar, esses gases oxidam-se e precipitam-se, formando um pó higroscópico muito fino, o qual gera núcleos de condensação de nuvens. "Onde há florestas, não há seca, nem excesso de água, nem furacões, nem tornados. É como uma apólice de seguros", diz Nobre[102].

Viktor Schauberger defendia que as moléculas de vapor d'água provenientes da transpiração das plantas possuem propriedades qualitativas distintas daquelas evaporadas de corpos d'água, como oceanos, rios e lagos[103]. Segundo ele, esses dois tipos de moléculas se atrairiam e condensariam mais facilmente para formar nuvens de chuva. Se observarmos os meandros de um ciclo hidrológico completo, tal como descrito por Schauberger, entenderemos um pouco melhor a função mediadora que as florestas exercem. Segundo sua explicação, moléculas de água transpiradas e evaporadas por plantas e corpos d'água sobem até camadas mais altas da atmosfera até alcançarem uma temperatura próxima de 4°C. Sendo uma substância anômala, isso quer dizer que a água está em seu estado de maior densidade. Água fria e densa significa que ela está "virgem", ou seja, praticamente sem qualquer mineral dissolvido. Para entendermos essa propriedade, basta compararmos a diferença entre diluir uma colher de açúcar em água gelada ou em água quente. Quanto mais fria, mais difícil é a tarefa, enquanto na água quente acontece o contrário. De volta à atmosfera, as moléculas de vapor d'água

---

[102] LA CRUZ, R. E. O pó de fadas da Amazônia. Reportagem. *El País*, 2014. Disponível em: https://bit.ly/3w8BumT.

[103] COATS, C. *Living energies: an exposition of concepts related to the theories of Viktor Schauberger.* Gill Books, 1995.

se condensam e formam gotas de chuva. Ao caírem, entram em atrito com o ar, então se aquecem, fragmentam-se em gotículas menores e, sendo moléculas bipolares, começam a girar sobre seu próprio eixo. Para Callum Coats[104], em seu giro descendente, as moléculas não apenas absorvem quantidades crescentes de oxigênio atmosférico, nitrogênio e traços de outros gases, como também geram campos bioelétricos e biomagnéticos cada vez mais intensos. Ainda segundo Coats, essas propriedades criam uma tensão favorável à vida. Ao alcançarem a vegetação, essa "fertirrigação natural" é rapidamente absorvida pelas plantas, primeiro pelas folhas que amortecem sua queda e organismos que vivem em suas copas, depois pelo solo, e raízes. Durante sua lenta descida em meio aos vários estratos da vegetação, a água também lava os minerais que se acumulam na superfície das folhas. Quando gentilmente toca o solo, gera uma explosão de vitalidade. E não para por aí. A fotossíntese que ocorre em vários andares assegura grande produção de biomassa que, por sua vez, mantém solos cobertos e protegidos da ação do sol direto. Como resultado, os solos de florestas naturais são mais frios que a água da chuva, o que gera um gradiente positivo de temperatura, ou seja, os solos "sugam" a água pela diferença de temperatura, e não apenas por gravidade (segundo as leis termodinâmicas, o quente "vai" para o frio, e nunca o contrário). À medida que a água desce para camadas mais profundas do solo, ela esfria e, consequentemente, deixa pelo caminho os minerais dissolvidos que carregava, até, mais uma vez, alcançar camadas no subsolo, onde chegará a temperaturas próximas de

---

[104] COATS, C. *Living energies: an exposition of concepts related to the theories of Viktor Schauberger*. Gill Books, 1995.

4°C. Ou seja, ela volta para seu estado puro, virgem, e pronta para ascender em uma nova etapa de sua jornada. À medida que sobe, aquece, dissolve minerais e segue seu caminho através das plantas e de volta à atmosfera. Ernst Götsch repete insistentemente que a circulação de água no planeta corresponde à circulação de sangue em nosso corpo. De fato, do ponto de vista funcional, ambos coletam e distribuem nutrientes ao longo dos seus ciclos e percursos.

Em ambientes vegetados onde prevalecem gradientes positivos de temperatura, Callum Coats destaca que somente cerca de 15% da água da chuva escorrem superficialmente e são drenados por rios e córregos. Os outros aproximados 85% são de água infiltrada no solo. Desses, 15% são absorvidos pela vegetação, organismos e pelo húmus, e os 70% restantes descem e reabastecem aquíferos. Em ambientes desmatados, por outro lado, o solo fica mais quente que a água da chuva, criando um gradiente negativo de temperatura, ou seja, o solo expulsa água em vez de absorvê-la. Somado a isso, solos expostos tendem a ser mais compactados, desprovidos de organismos e, consequentemente, não apresentam estruturas grumosas capazes de reter umidade. O resultado é catastrófico. A falta da vegetação não apenas interrompe as dinâmicas de circulação de água nos continentes como também gera enchentes e erosões. É um efeito cascata de problemas. Quanto menos florestas, menos água penetra nos solos, os lençóis freáticos não conseguem ser reabastecidos, os solos são erodidos por enxurradas e as chuvas se tornam cada vez mais incertas e violentas.

A natureza desenvolveu suas próprias formas de irrigar. A tecnologia natural não precisa recorrer a bombas para extrair água de lençóis freáticos e não se apoia em dispendiosas usinas de dessalinização. Para adubar, prescinde de processos onerosos e poluentes como o **Haber-Bosch**[105] e não depende da exploração de reservas minerais.

Diante de tudo que foi apresentado, é natural que surja a pergunta: "Afinal, na Agricultura Sintrópica é proibido irrigar e adubar?" De jeito nenhum. Podemos ler e reler os "15 princípios da Agricultura Sintrópica" escritos por Ernst Götsch (vide Anexo 2) que não encontraremos nenhuma referência a proibições de qualquer natureza. Não há uma lista do que se deve e do que não se deve fazer. Não porque seja uma abordagem permissiva, mas porque propõe uma mudança de base, na própria percepção e, consequentemente, na postura do agricultor. A leitura da natureza feita a partir das premissas da Agricultura Sintrópica nos oferece uma nova percepção das dinâmicas naturais. De posse dessa nova percepção, invariavelmente adotaremos uma nova postura diante dos desafios do nosso plantio. As atitudes que decidiremos tomar levarão em conta outro tipo de avaliação de custo/benefício. Ou seja, quando um agricultor sintrópico aduba ou irriga, ele tem um objetivo final muito diferente que, em última instância, é a meta de levar o seu sistema produtivo para um patamar de fertilidade e de ativação de dinâmicas naturais no qual qualquer insumo externo será dispensável. Por exemplo, adubo ou irrigação podem servir para pagar a implantação de um sistema em condições de acumulação com alguma colheita agrícola, desde que outras espécies sejam introduzidas de modo a acelerar a sucessão. Dessa forma esses recursos, em vez de serem usados como muletas que criam a própria debilidade, serão empregados como estratégias de arranque ou impulso inicial das transformações.

---

105 O Haber-Bosch é um processo industrial que converte o nitrogênio (N_2) presente na atmosfera em amônia e, a partir dela, são criados fertilizantes nitrogenados utilizados na agricultura. Esse processo também é usado para fins militares, pois a amônia pode ser convertida em explosivos como a nitroglicerina e o TNT.

Podas drásticas — Floresta não é museu

"Eu planto floresta e manejo floresta."
Ernst Götsch

Em uma das primeiras oficinas que Ernst Götsch ministrou em nossa fazenda em Casimiro de Abreu (RJ), ele havia decidido fazer uma poda em uma mangueira majestosa de aproximadamente 50 anos, 12 metros de altura e um tronco que precisava de duas pessoas para abarcar. Ernst empunhou a motosserra e iniciou o corte um pouco abaixo da copa. O olhar dos alunos era de consternação. Quando tombou, o peso do fuste era tão grande que fez o chão vibrar. Olhando em volta, vimos que alguns alunos choravam. Imbuídos das melhores das intenções e sentimentos, interpretavam aquele gesto como uma agressão àquela árvore e, por consequência, à natureza.

Ernst Götsch costuma dizer que o grande "pulo do gato" em sua trajetória como agricultor foi entender a dinâmica e o papel das podas. É dele a afirmação "floresta não é museu", no sentido de que florestas sem manejo produzem menos biomassa e, como resultado, perdem capacidade de reciclar matéria orgânica. Com isso, entram em crise e produzem menos alimento para a fauna. Em medições em sua própria fazenda, Ernst concluiu que suas áreas manejadas produzem até o triplo de biomassa em relação a um fragmento não manejado. Como já sabemos, maior produção de biomassa significa que há mais resíduos entrópicos sendo organizados em forma de moléculas orgânicas.

Sua convicção de que "floresta não é museu" encontra respaldo em estudos paleobotânicos que sugerem que as florestas do último período interglacial (132.000 a 110.000 AP), ou seja, antes da presença do homem moderno, eram menos fechadas se comparadas às que se formaram em nosso atual período interglacial. O motivo? Naquele tempo havia a megafauna. Muitos desses animais (peso corporal ≥ 44 kg), foram extintos nos últimos 50 mil anos, em grande parte por nós, seres humanos modernos[106]. Esses animais tinham uma relação próxima com as florestas, submetendo-as a manejos constantes. Não à toa são classificados como **engenheiros de ecossistemas**, segundo estudiosos do tema. É difícil imaginar, mas há apenas 10 mil anos ainda era possível encontrar na América do Sul animais parecidos com camelos e rinocerontes, além de ursos, tigres-dentes-de-sabre, preguiças, capivaras e tatus gigantes — este último podendo chegar ao tamanho de um hipopótamo. Graças a nós, não sobrou nenhum mamífero com mais de 100 kg no subcontinente. Na Eurásia, a extinção ocorreu mais cedo. Ainda que haja hipóteses que defendam que mudanças climáticas tenham contribuído para isso, o desaparecimento da megafauna coincide — em todos os continentes — com a chegada do *Homo sapiens*[107].

Se ainda hoje analisarmos o papel de alguns animais que resistem ao nosso extermínio, não é difícil entender que suas interações com as plantas (das quais dependem como alimento ou abrigo) podem ser entendidas como podas. Bandos de macacos gostam de fazer ninhos quase diários em árvores das quais comem frutos e folhas. Durante o processo, podam uma infinidade de galhos e,

---

[106] SANDOM, C. J.; EJRNAES, R.; HANSEN, M. D. D. et al. High herbivore density associated with vegetation diversity in interglacial ecosystems. *Proceedings of the National Academy of Sciences*, v.111, n.11, 2014, p.4162-7.

[107] SANDOM, C.; FAURBY, S.; SANDEL, B. et al. Global late Quaternary megafauna extinctions linked to humans, not climate change. *Proceedings of the Royal Society B: Biological Sciences*, v.281, n.1787, 2014, 20133254-20133254.

como consequência, despejam no solo grandes quantidades de biomassa, o que permite que a luz penetre em estratos mais baixos e estimule novas rebrotas. Girafas são praticamente plataformas de poda, capazes de alcançar estratos mais altos da vegetação. O bico dos psitacídeos — ordem que inclui araras, periquitos, cacatuas, maritacas, jandaias e calopsitas — tem a forma quase exata de uma tesoura de poda. Esses pássaros passam horas podando e picando galhos, atividade que parece lhes dar enorme prazer. Diferentemente do que se imagina, bovinos também são animais que sabem manejar árvores e arbustos, e são grandes dispersores de frutos. Eles gostam de bordas de florestas, manejam gramíneas em áreas mais abertas, mas também sentem necessidade de se recolher em locais mais protegidos. Animais como bovídeos, ursos, elefantes, hipopótamos, felinos, entre outros, também cumprem um papel importante na regeneração e formação de clareiras. Eles usam árvores como anteparos para se coçarem ou se limparem. Quando encontram uma árvore em fim de ciclo ou fraca, acabam por contribuir para sua queda, abrindo caminho para a sucessão natural. Na falta desses animais, muitas vezes uma árvore senescente precisa esperar anos até que insetos como cupim, uma infecção ou qualquer outra doença a enfraqueça o suficiente para que a gravidade ou o vento realize a "poda".

A mangueira do relato é um exemplo de uma árvore que havia envelhecido por falta de manejo. Estivesse ela em seu íntegro ecossistema de origem, possivelmente receberia constantes visitas de animais, fosse para comerem seus frutos e folhas, fosse para usá-la como abrigo. Ali em nossa fazenda, apartada de seu ambiente e dos animais com os quais evoluiu, ela foi ficando sem cuidados e o resultado foi que, apesar do seu tamanho, ela já não apresentava muito vigor. Para confortar a plateia em lágrimas, Ernst prometeu, "ainda este ano ela rebrotará, e em 2 anos estará carregada de frutos, sentindo-se jovem novamente". De fato, foi exatamente isso o que aconteceu.

No universo agrícola tradicional, o assunto "poda" é tratado a partir de uma perspectiva estritamente produtivista. Podam-se árvores visando maior produção de frutos que sejam fáceis de colher. A princípio não há nada de errado com isso, mas esse não deveria ser o único critério. Como é de se imaginar, a poda da nossa grande mangueira gerou uma quantidade enorme de biomassa — algumas centenas de quilos de troncos, galhos e folhas que foram fragmentados e organizados criteriosamente no entorno, gerando uma cobertura generosa de matéria orgânica. Dentro desse material, plantamos dezenas de bananeiras, inhame, gengibre, feijão, milho, além de outras árvores frutíferas. A digestão e transformação da madeira e folhas, por organismos presentes no solo, não apenas beneficiou a própria mangueira, como também serviu às inúmeras outras espécies de hortaliças e árvores que agora cresciam sincronizadas com a rebrota de sua copa. Além disso, uma planta podada muda a sua informação bioquímica. A prioridade agora é investir em crescimento vegetativo, ou seja, em novos galhos e folhas. Para isso, são liberados hormônios de crescimento cujo efeito influencia também as plantas do entorno (via micorriza). Em suma, e segundo Ernst, a poda tem um efeito de fertilização em todo o ecossistema, e não apenas na planta podada.

Animais são parte do metabolismo dos ecossistemas. O resultado, já sabemos, é o aumento de recursos. Diferentemente do que somos levados a crer, eles não exploram indiscriminadamente as espécies das quais dependem. No ato de comer, fazer ninhos, coçar-se e brincar, eles manejam a vegetação, fazendo podas, plantios, adubação, criando estratos na vegetação (veremos mais sobre isso na seção "Relação predador-presa", p.156). Não raro,

Ernst costuma repetir que os animais são os melhores professores. Diante de uma dúvida sobre como manejar um plantio, devemos observar a relação entre manejadores e manejados a partir da perspectiva das **funções ecofisiológicas**[108] que estão sendo desempenhadas.

Certa vez, em um plantio que estava no estágio sucessional no qual a mandioca e o feijão dominavam a paisagem, formigas subiram no feijão e começaram a cortá-lo. Em vez de condená-las, Ernst explicou que as formigas estavam nos dando uma aula de poda de estratificação. A mandioca é estrato alto, portanto, o feijão não deveria ultrapassá-la em altura. Curiosamente, naquela ocasião, os cortes que as formigas realizavam eram precisamente naqueles brotos que ultrapassavam as folhas da mandioca. Ao mesmo tempo, não havia sinais de ação das formigas nos feijões que haviam sido previamente podados logo abaixo da copa das mandiocas. A fauna faz os ajustes necessários, segundo Ernst, orientada pela otimização dos processos de vida. Nesse sentido, caberia ao agricultor aprender e antecipar esses manejos em vez de armar-se de formicidas.

Se entendermos o agricultor como elemento integrante da fauna que maneja determinado ecossistema, cabe a ele executar os ajustes de forma a também otimizar processos de vida. Que fique claro que o incentivo às podas não é um sinal verde para o desmatamento. A tesoura de poda ou a motosserra, nas mãos de um agricultor treinado na técnica e orientado pelos critérios

---

108 Este é outro termo da ecologia que Ernst Götsch utiliza em contexto diverso. Ecofisiologia é o ramo da fisiologia que se ocupa do comportamento fisiológico de plantas diante das diferentes condições do ambiente. Dito de modo resumido, seria o estudo de como o ambiente impacta e modifica os organismos. Mas, muitas vezes, Ernst Götsch se refere não à ecofisiologia, mas sim à **função ecofisiológica**. Ou seja, de que maneira cada espécie, por meio de seu metabolismo, impacta e modifica o ambiente. As características fisiológicas, segundo essa perspectiva, são indícios de quais funções cada espécie está realizando em cada contexto ecológico. Como ilustrado na Figura 1 (Sintropia e entropia), Ernst entende que toda forma deriva de uma função e isso está expresso nos princípios II, III, IV e XI (vide Anexo 2).

da Agricultura Sintrópica, resulta sempre em mais produção de biomassa, mais crescimento e mais vida. Podas bem-feitas requerem tanto prática quanto habilidade e conhecimento para servirem aos propósitos de aceleração da sucessão.

Quando perguntado sobre os sistemas de café e cacau sombreados — normalmente celebrados como sustentáveis por lembrarem uma floresta —, Ernst adverte que não basta cuidar apenas da cultura-chave. É preciso também podar as árvores de sombreamento para manter o pulso e a informação de crescimento em todo o sistema, provendo alimento para os organismos do solo e ciclagem de nutrientes. Ele lembra que o cacau é uma árvore que naturalmente prospera em corredores de vento, ou seja, lugares que estão sujeitos a distúrbios frequentes. Ele também relata seu aprendizado com comunidades tradicionais na América Central que diziam que o ano seguinte a uma temporada de furacões eram os mais produtivos. Os fortes ventos faziam podas drásticas nas árvores de estratos altos e emergentes, e nos próprios cacaueiros que amorteciam a queda. Tal evento despejava muita biomassa sobre o solo. O cacau, portanto, beneficiava-se da combinação entre o aumento de luz, fartura de adubo e rejuvenescimento de seus companheiros mais altos, respondendo com vitalidade e muitos frutos. Com o café a situação é semelhante. Nativo do nordeste do continente africano, o cafezeiro está habituado às chuvas de folhas e maior intensidade de luz durante o inverno, quando parte das árvores mais altas perde suas folhas. Também como os cítricos, a maior incidência de luz é importante para a indução floral. Nenhuma das três espécies citadas se importa em amadurecer seus frutos protegidos por um sombreamento jovem, ou seja, sob árvores que refazem suas copas, seja após um distúrbio de poda, seja após o inverno. A sincronização é exata. Nos trópicos, a pulsão promovida por podas prepara o solo para a maior incidência de luz, criando uma camada generosa de proteção contra o sol e a chuva, além de fornecer abundante alimento para organismos do solo no período em que tendem a aumentar sua atividade. Em zonas de matas caducifólias, a matéria orgânica despejada durante o outono ajuda a criar uma camada isolante contra o frio intenso. Com a chegada da primavera e o aumento da atividade biológica, a biomassa é transformada e sustenta o pulso de crescimento da vegetação que, naquele momento, refaz suas copas que protegerão o solo nos dias longos, secos e quentes do verão.

Grande parte dos frutos que nos alimentam pertence a ecossistemas que sofrem distúrbios regulares ou de florestas caducifólias ou semicaducifólias. De uma forma ou de outra, essas plantas coevoluíram com frequentes derramamentos de matéria orgânica sobre o solo. Consequentemente, coevoluíram também com determinada comunidade de microrganismos no solo que prosperam nessas condições, e com os quais desenvolveram relações colaborativas. Como já dissemos, uma das frases mais repetidas por Ernst Götsch é "a transformação da matéria orgânica oriunda de madeira resulta em frutificação". Hoje sabemos que um solo rico, fértil e bem estruturado é aquele coberto por madeira em decomposição que, por sua vez, favorece a proliferação de uma microvida que mobiliza todos os nutrientes que nossas plantas precisam.

A forma como as podas costumam ser vistas em regiões de climas mediterrânico e temperado incita uma reflexão. Com um calendário muito bem definido e voltado para a maximização da produção de frutos, assume-se como imprescindível que as fruteiras caducifólias (pêssego, ameixa, maçã, pera, cereja, figo, entre outras) devem ser podadas durante seu período de dormência. Ou seja, no inverno, quando estão sem folhas. Essa é a chamada **poda seca**, que estimula a produção de ramos com mais botões florais. Já a poda realizada no fim da primavera ou início do verão — **poda verde**, feita quando a árvore está em plena atividade — induz a produção de muitos galhos e folhas. Diz-se que uma árvore podada em sua fase verde dá mais trabalho porque ela tende a produzir muita biomassa. Existe coerência na escolha pela poda seca. Do ponto de vista produtivo, ela facilita a colheita e economiza o trabalho de ter que conter o vigor e a altura da planta. Além do interesse econômico, existe aqui o reflexo da percepção ecológica dominante nesses lugares. O material de poda é considerado como um entulho para a maioria dos produtores. O hábito mais generalizado é o de retirar ou queimar todo material proveniente de podas para que o solo fique sempre "limpo". Em alguns lugares, há até mesmo a obrigação legal de "limpeza das áreas", sob alegação de prevenção contra incêndios. Com essas práticas, em vez de colherem os múltiplos benefícios da poda, resta apenas um efeito: o estímulo da floração — única prioridade e interesse. Dessa forma, a busca pela maximização da produção de frutos se sobrepõe à otimização dos processos de vida que poderiam significar a autofertilização dos campos por meio da decomposição dos troncos, galhos e folhas podados e organizados sobre o solo. Os métodos convencionais valorizam plantas carregadas de frutos, porém forçadas a sobreviver em solos descobertos e, por isso, dependentes de adubação e irrigação. Além disso, muitas espécies são conduzidas, por meio de podas, para ocuparem estratos diferentes daqueles que lhes seriam o ideal. Uma pereira, por exemplo, é estrato emergente, mas normalmente é mantida no estrato baixo para facilitar a colheita. A ausência de dinâmicas de vida no solo, somada à estratificação incorreta e à falta de consórcios sucessionais, pode estar afetando negativamente a longevidade dessas plantas. Uma pereira, que vive entre 50 e 150 anos em ambientes naturais, costuma precisar ser substituída a cada 10 anos em um plantio comercial.

Por outro lado, se o agricultor quiser estimular a produção de mais biomassa — por entender os benefícios que isso gera em termos de cobertura do solo, melhor capacidade de retenção de água, maior taxa fotossintética e informação de crescimento para todo o sistema —, faz sentido manejar a plantação de forma a sempre ter o que podar. Não teria problema favorecer as podas secas nas fruteiras, visando maior produção e venda de frutos. Mas, nesse mesmo contexto, é possível respeitar os estratos e incluir muitas outras espécies que poderão ser submetidas a podas frequentes e que irão fazer companhia às fruteiras.

Nós, seres humanos, pertencemos ao grupo de mamíferos de porte médio/grande de sistemas de abundância. Para que nossa presença nessa fase do ecossistema seja prevista e desejável, temos que nos empenhar em favorecer as dinâmicas encadeadas e interdependentes que dão suporte ao conjunto da vida. Isso significa dizer que não devemos olhar apenas para as plantas que cultivamos, mas sim para o ecossistema como um todo.

Nativas e exóticas — Medo de fotossíntese

Carmen Miranda foi uma cantora e dançarina que ficou mundialmente conhecida pelos musicais que estrelou em Hollywood na década de 1930 e por seu figurino caracterizado, principalmente, pelos exuberantes turbantes de frutas. Nascida em Portugal, a "Pequena Notável" fez sucesso nos Estados Unidos, onde virou ícone de brasilidade carregando frutas asiáticas em sua cabeça. Mas afinal, Carmen Miranda é símbolo de qual desses locais? A confusão com relação às origens do símbolo Carmen Miranda pode parecer uma aberração típica dos produtos da indústria cultural, mas a discussão sobre o que seriam plantas nativas e exóticas sofre de semelhante esquizofrenia.

Há espécies consideradas **nativas**, outras **introduzidas** e outras **naturalizadas**. Existe também a diferença entre as introduzidas intencionalmente pelo ser humano (**antropófitas**) e aquelas que foram trazidas, mas fugiram de seu controle (**ergasiofigófitas**), ou ainda aquelas que ocorrem espontaneamente, mas não chegam a se estabilizar (**efemerófitas**). Por vezes, as plantas são divididas entre as "daqui" e as "vindas de fora" (**autóctones e alóctones**). Mas isso também pode depender de quando isso aconteceu. Se foi há centenas ou milhares de anos (**arqueófitas** na Europa, **pré-colombianas** nas Américas) ou há pouco tempo (**neófitas** ou as que **"coevoluíram com a agricultura"**).

Os critérios variam de acordo com os autores, com os lugares, e servem às classificações dos estudos fitogeográficos. Mas para agricultores e ecologistas o debate não é teórico. Ele afeta diretamente sua prática cotidiana. Talvez seja por isso que, em muitos casos, o tom se destempera e escapa para o lado pessoal: espécies perniciosas de origem estrangeira que invadiram nosso país de clima ameno e propício e que agora colocam em risco nossa rica flora nativa — essa frase é composta por uma série de expressões colecionadas a partir da introdução de um livro de ecologia[109]. Uma vasta coleção de expressões pejorativas — exóticas, invasoras, agressivas, indesejadas e competitivas — é amplamente presente na literatura científica. Se no debate científico há essa

---

[109] ALMEIDA, J. D. *Flora Exótica Subespontânea de Portugal Continental*. 5.ed. Coimbra, 2012.

indisposição, que dirá no imaginário comum. As exóticas, essas espécies "vindas de fora", são "umas pragas", "um perigo", "uma ameaça". A correspondência com o discurso xenófobo é tão simétrica que não parece ser fortuita. Ambas as reações confundem fronteiras políticas com fronteiras naturais, são baseadas no famoso medo do outro e buscam relativo conforto na identificação de um inimigo em comum. Para Ernst Götsch, "o preconceito contra espécies exóticas cresce no mesmo adubo do racismo". Do ponto de vista teórico, a Agricultura Sintrópica propõe que essas contradições, aqui rapidamente ilustradas, sejam consideradas, discutidas e enfrentadas. Até porque, do ponto de vista prático, essas definições podem representar um dos grandes entraves para a composição dos consórcios de plantas que sejam os mais eficientes na reabilitação de ecossistemas. Para ilustrar, vamos recorrer novamente a exemplos de experiências concretas.

Na Fazenda Olhos d'Água, no sul da Bahia, hoje Ernst Götsch maneja jaracatiás, jequitibás, paus-d'alho, pau-brasil, entre muitas outras espécies típicas da Mata Atlântica. Anos atrás, no entanto, quando ali chegou e começou suas intervenções, apesar de aquelas espécies serem parte de sua meta, não foi no plantio delas que Ernst concentrou seus esforços iniciais. Espécies de ecossistemas áridos e semiáridos, tais como sisal, mandacaru, mamona, palma forrageira e piteira (entre outras), foram as escolhidas para iniciar os trabalhos naquelas terras que se encontravam degradadas. Todas essas últimas, espécies naturais e originais de ecossistemas menos favorecidos em termos de capacidade de retenção de água, disponibilidade de nutrientes no solo e com menores índices pluviométricos. Os critérios para a escolha das espécies, portanto, passaram pela identificação de quais, por suas características e estratégias fisiológicas, poderiam realizar o trabalho sintrópico diante das condições dadas. Ou seja, naquele caso, Ernst buscou por espécies que fossem capazes de se manter verdes ao longo de todo o período seco, produzindo biomassa acima e abaixo do solo, mobilizando e preservando água independentemente de irrigação.

Vias metabólicas adaptadas a condições de extremo calor, estruturas de reserva de água, seivas higroscópicas etc., todas essas soluções já foram desenvolvidas pelas plantas ao longo dos milhões de anos da evolução. Equipada de toda essa tecnologia, nenhuma espécie se incomoda de estar em um local diferente do seu de origem, desde que ali seus serviços sejam necessários. Ernst Götsch costuma explicar que, se há uma tarefa a ser feita, há uma espécie equipada para realizá-la, e ela o fará com pleno prazer. Da mesma forma, quando não houver mais tarefa para cujo cumprimento ela possa contribuir, com a mesma elegância com que veio, aquela espécie se retira. O que podemos dizer é que, de fato, em meio aos jequitibás da fazenda de Ernst Götsch hoje não se vê mais nenhum sisal. Não porque eles foram combatidos, mas porque aparentemente a tarefa deles foi concluída. Pelos mesmos motivos não se veem jequitibás nas áreas nas quais, anos atrás, não foram plantados todos aqueles agaves, cactáceas, mamonas, feijões, abacaxis etc. A sugestão é de que, sem a ajuda dessas espécies de outros ecossistemas, a regeneração de espécies nativas como o jequitibá não conseguiu acontecer no mesmo intervalo de tempo. Ou seja, a intervenção que se iniciou com cactáceas exóticas à Mata Atlântica atingiu resultados que hoje agradam os maiores entusiastas preservacionistas daquele bioma.

Se tínhamos alguma dúvida quanto à acuidade desse relato, ela se desfez quando Ernst reproduziu a mesma experiência para que pudéssemos acompanhá-la com filmagens. Foi assim que iniciamos o *Projeto Agenda Götsch*. A área escolhida para a intervenção estava ocupada predominantemente por um tipo de samambaia

(*Pteridium aquilinum*) que, inclusive, é considerada alelopática e está na lista de invasoras em muitos lugares do mundo. De fato, naquele local, ela dominou o ambiente por cerca de 70 anos e nenhuma árvore nativa da Mata Atlântica pôde se estabelecer. A *Pteridium aquilinum* cria um tapete muito grosso, e seu controle é difícil. Mesmo se for cortada, ela volta a crescer, cada vez mais forte — daí sua reputação de invasora. Ernst Götsch, no entanto, em vez de declarar guerra contra essa planta, decidiu usá-la para impulsionar a sucessão natural. E assim foi feito. Toda aquela samambaia foi cortada e, no meio de sua biomassa, foram plantados consórcios de plantas adaptadas ao solo ácido. Entre elas, algumas de ciclo de vida curto e de crescimento muito rápido, que poderiam se antecipar à rebrota da *Pteridium*. No consórcio entraram também muitas árvores "invasoras", tais como eucalipto e *Acacia mangium*, estas também de crescimento rápido. Sob elas foram incluídas as nativas e de crescimento mais lento (as mesmas que já demonstravam não conseguir prosperar naquele local a despeito dos 70 anos de pousio confirmado). Com isso, o que aconteceu foi que, após apenas um ano, com o sombreamento e a melhoria da qualidade do solo, a *Pteridium aquilinum* perdeu seu nicho e sua força. Após o segundo ano, foi possível começar a cortar o eucalipto e a *Acacia mangium*, abrindo espaço para as espécies nativas que estavam crescendo por baixo[110]. Dez anos depois, a área estava completamente recuperada, sem sinais da indesejada *Pteridium*, já sem eucaliptos nem acácias, mas sim com muitas árvores nativas ocupando seus diversos andares e com

---

110 A área localiza-se às margens da BA 250, estrada que faz a ligação entre os municípios de Gandu e Ituberá, na longitude 13°77'75"W e latitude 39°32'49"S, com altitude de 350 m e 5° de inclinação. A experiência foi minuciosamente relatada em publicação científica: ANDRADE, D. V. P.; PASINI, F. Implantação e manejo de agroecossistema segundo os métodos da Agricultura Sintrópica de Ernst Götsch. *Cadernos de Agroecologia — Relatos de Experiências*, v.9, n.4, 2014.

sua própria dinâmica. Ou seja, as chamadas espécies invasoras cumpriram uma função ecológica de criar condições para as espécies nativas. Foram elas que prepararam o solo (quebrando a compactação), e sua biomassa e exsudatos aumentaram as condições para que as espécies mais exigentes se estabelecessem. Se tivéssemos plantado apenas as espécies nativas, elas não teriam sido capazes de prosperar, pois precisavam primeiro do "serviço" das espécies exóticas.

Depois de ouvirmos os relatos e de testemunharmos a reprodução da experiência com os mesmos resultados, só nos faltava testar por nós mesmos. Para não nos estendermos demais nas histórias, podemos apenas dizer que verificamos a capacidade de eucaliptos criarem araribás sobre solo de pasto degradado, leucenas criarem paus-brasil e margaridões criarem jatobás. Só não temos mais exemplos por limitações legais. Ironicamente, quanto mais degradado o ambiente, maiores costumam ser as restrições sobre o que se pode e o que não se pode plantar.

O que todas essas experiências sugerem é que o erro não está em plantar invasoras. O erro está em não plantar outras espécies capazes de sucedê-las. O que deveria ser crime é a retirada de uma espécie exótica sem o plantio de nenhuma outra para substituí-la. Deixar o solo exposto é sempre a pior opção. Temos convicção de que com a correta aplicação dos princípios da Agricultura Sintrópica seria possível "descontratar", como Ernst costuma dizer, os eucaliptos, ailanthus, acácias, opuntias, entre outras espécies que tiram o sono de muita gente. Se olharmos para essas plantas, sem preconceitos, sem ódio, poderemos reconhecer qual é o resultado sintrópico do seu metabolismo. Afinal, a única coisa que elas estão fazendo é fotossíntese. Fazer fotossíntese é assim tão ameaçador? Poderíamos ver na diversidade genética do planeta a representação de todo um potencial de cura, se soubermos como aplicá-lo. Podemos começar a fazer a leitura de um "lugar invadido" como um convite para acrescentarmos mais plantas, mais diversidade. E não como uma afronta ou uma convocação para a guerra. Essa interpretação dogmática diz muito mais sobre nós do que sobre as relações ecológicas.

O que há de nativo nas nativas e de exótico nas exóticas?

Uma das explicações sobre as características de uma espécie nativa ou autóctone seria o fato de que ela tem uma trajetória evolutiva de adaptação a determinado local e que, justamente por isso, seria mais apta a prosperar naquele ecossistema. Ou seja, um *Quercus suber* é nativo do Mediterrâneo e por isso cresce muito bem naquele ecossistema. Mas o que dizer quando essa espécie já não consegue mais prosperar tão bem em algumas regiões mediterrânicas? Deveríamos deixar de considerá-la nativa? Provavelmente não.

Por outro lado, dentre as explicações sobre as características das espécies exóticas está a tendência a invadir e prejudicar os ecossistemas nos quais se inserem. Mas quais seriam as espécies que invadem e prejudicam ecossistemas? As exóticas, diriam. Apesar da flagrante tautologia, essa é a resposta mais comumente encontrada[111]. Conservacionistas costumam argumentar que as ditas espécies invasoras constituem a segunda principal causa de extinção de espécies nativas. No entanto, para os pesquisadores Gurevitch e Padilha, exceto em casos muito específicos, tais como a introdução de predadores em lagos e pequenas ilhas, os

---

111   SAGOFF, M. Do non-native species threaten the natural environment? *Journal of Agricultural and Environmental Ethics*, v.18, n.3, 2005, p.215-36.

dados disponíveis que apoiam tal interpretação são considerados "anedóticos, especulativos e baseados em observação limitada"[112]. A introdução de uma espécie não nativa pode ter impactos negativos nas populações das espécies nativas, mas também pode exercer uma influência positiva. Ao mesmo tempo, a inclusão de uma espécie nativa onde ela seja ausente tem o mesmo potencial de alterar outras populações, positiva ou negativamente. Então, escolher chamar algumas espécies de exóticas e outras de nativas, com o juízo de valor que isso carrega, pode até ajudar a criar listas de perseguição ou justificar políticas de regulamentação, mas em nada contribui para o entendimento do funcionamento e dinâmica dos ecossistemas.

Há, entretanto, algo que é extremamente exótico e que não podemos negar: o grau de degradação que impusemos aos ecossistemas. Este sim, não é nada natural nem original. O nível de destruição e desgaste de ambientes naturais, cujos exemplos estão democraticamente compartilhados pelo mundo todo, é para lá de exótico. Os araçás da Mata Atlântica nunca viram tanto pasto ao seu redor. Os carvalhos mediterrânicos nunca tiveram que conviver com tanta aragem ao seu pé e tão próximos de olivais superintensivos. Agora, se alguma espécie vem do centro da Austrália ou do norte da África para ocupar áreas que estão quase virando um deserto (independentemente do ponto geográfico em que estejam), em vez de agradecermos sua gentileza de vir até aqui ajudar a curar as feridas que nós causamos, nós a perseguimos e investimos tempo e dinheiro tentando exterminá-la. Parte-se para a guerra, antes de se questionar se aquela ocupação é causa ou consequência da destruição.

---

112 GUREVITCH, J.; PADILLA, D. K. Are invasive species a major cause of extinctions? *Trends in Ecology & Evolution*, v.19, n.9, 2004, p.470-4.

Afinal, a proliferação de plantas exóticas normalmente anda de mãos dadas com o desmatamento ou a severa alteração de habitat — esta sim, reconhecidamente a principal causa de perda de espécies nativas. Ano após ano, em todo o mundo, vemos crescer tanto as listas vermelhas de espécies ameaçadas quanto as listas de espécies invasoras proibidas. Podemos seguir entendendo que a segunda é causa da primeira ou podemos investigar melhor as experiências que sugerem que ambas são consequência das alterações dos ambientes, geralmente impostas por nós mesmos.

Nativa de onde?

No sul da Europa e na Califórnia ouvem-se relatos de uma memória afetiva relacionada com os "campos dourados" — uma referência às searas de grãos que, de fato, dominaram a paisagem mediterrânica dessas duas regiões por longos períodos. Morar em Portugal nos deu o privilégio de manter contato com as belas e antigas canções populares que descrevem as maravilhas dos campos de trigo, os moinhos e a importância do pão. O trabalho com lã também faz parte da cultura do sul de Portugal, com técnicas milenares de tecelagem e lindos padrões que ainda carregam a influência moura. No Alentejo aprendemos a amar a açorda entre amigos, aquecemos nossos pés com meias de uma lã poderosa, saboreamos laranjas, azeitonas e uvas com um sabor inesquecível. Uma imersão na vida e na cultura mediterrânica. Mas, se pesquisarmos o centro de origem de cada um daqueles produtos, vamos descobrir que o trigo vem da Turquia, as laranjas da China, as oliveiras do entorno do mar Cáspio e extremo leste do Mediterrâneo, as uvas foram primeiramente domesticadas no oeste asiático, e as ovelhas são animais alpinos que não faziam parte daquela paisagem até a chegada dos primeiros pastores.

Como conciliar o discurso de defesa de nativas e exclusão de exóticas, mas ao mesmo tempo considerar e respeitar o valor de expressões culturais locais? Aparentemente não há conciliação. O que ocorre é, mais uma vez, uma polarização entre agricultura e ecologia, produção e preservação. Gêmeas siamesas que não querem conversar uma com a outra. A contradição se repete mundo afora. Grandes símbolos da autoestima de vários países tampouco são nativos dos lugares que lhes dão fama. A pizza italiana, por exemplo, depende de trigo, que é natural do Oriente Médio, e de tomate, que é natural dos Andes.

Perpetua-se assim um conflito, que não beneficia nem o ambientalista nem o produtor que quer trabalhar com a sucessão natural, de modo a recuperar uma área ao mesmo tempo que viabiliza sua produção agrícola. Na verdade, a única que tira vantagem desse impasse é a agricultura convencional de bases industriais, que simplesmente se exime de toda essa discussão. Seus poderosos lobistas, que se escondem atrás da falácia da produção necessária para alimentar o mundo, seguem cometendo os maiores abusos e pressionando a expansão das fronteiras agrícolas inclusive sobre áreas de preservação ambiental.

Como já tratamos na seção "Recuperação pelo uso — a restauração sintrópica", a conciliação é possível e ela não quer dizer que a agricultura terá que produzir menos, nem quer dizer que a ecologia vai ter que renunciar aos seus propósitos de proteção. Muito pelo contrário, é justamente nessa reconciliação que reside a possibilidade de praticarmos uma ecologia que não se contente apenas em preservar alguns fragmentos dos ecossistemas que restam, mutilados e disfuncionais. A possibilidade da restauração, em vez da preservação da degradação, é uma história na qual nativas e exóticas poderiam ser as protagonistas, e não as antagonistas.

Ervas daninhas — A capina é a colheita

Lidar com ervas indesejadas sempre foi, e ainda é, um dos grandes gargalos da agricultura. O crescimento das chamadas "ervas invasoras" no meio dos plantios é motivo de dor de cabeça para agricultores do passado e do presente. Afinal, não fossem tais "invasões", produtores não precisariam usar o grande vilão das práticas convencionais: o herbicida. As agriculturas que são contrárias ao uso de herbicidas sintéticos propõem uma variedade de soluções que vão desde a capina (apesar do trabalho excedente que gera), passando pelo uso de coberturas plásticas (apesar da compactação do solo e da produção extra de resíduo na qual resultam), chegando até ao uso de língua de fogo para neutralizar o banco de sementes (apesar do impacto negativo no equilíbrio biológico do solo). Ou seja, evitam o uso de químicos, mas continuam causando algum efeito colateral, pois permanecem no mesmo paradigma da necessidade de controle de ervas espontâneas.

Boa parte das plantas ditas invasoras ou daninhas só são assim chamadas porque, supostamente, não cumprem um propósito de nosso interesse. Com exceção das PANC (plantas alimentícias não convencionais), em geral essas espécies não servem de alimento, nem para nós nem para os animais que criamos. São vistas apenas como algo de que precisamos nos livrar. Assim como acontece com as espécies exóticas (das quais tratamos na seção anterior), essa antipatia indiscriminada contra as ervas espontâneas ofusca o importante questionamento sobre a possibilidade de sua presença ser justamente uma consequência da degradação que a maior parte das práticas agrícolas impõe aos ambientes.

A postura de Ernst Götsch diante de qualquer espécie é a de procurar entender qual tarefa ela está cumprindo naquele local e naquele momento. Conforme ilustrado na Figura 1 (ver p.56), Ernst entende que, se existe uma forma, é porque há uma função que a inspirou. Isso vale inclusive para as ervas ditas invasoras. Nesse sentido, quando assumimos a tendência sintrópica como premissa, a única forma eticamente aceitável para que um agricultor retire uma espécie indesejada é por meio da melhoria das condições de vida, para que aquela planta deixe de ser necessária naquele ecossistema. Isso quer dizer que é preciso avançar no Gráfico da Vida (Figura 2, ver p.70), favorecendo a sucessão natural no sentido da complexidade. Em um solo degradado e compactado crescem, evidentemente, espécies capazes de lidar com solos degradados e compactados. Se as condições do solo mudam, a comunidade de plantas também muda. Aquelas que prosperam em condições "piores" perdem seu nicho — enfraquecem e definham naturalmente, sem que precisemos nos engajar em uma luta inglória contra elas. Em vez de declarar guerra, Ernst propõe duas abordagens quando devemos contornar o inconveniente de lidar com plantas de difícil manejo: a substituição ou a aliança.

A abordagem da substituição, já mencionada, é feita por meio da superocupação dos canteiros com consórcios estratificados e sucessionais. Em uma horta, por exemplo, não faz sentido plantar monoculturas isoladas de alface, brócolis, favas etc. Separadas, essas culturas deixam lacunas no tempo e no espaço. O quebra-cabeça 4D fica incompleto. Se não decidirmos ativamente preencher esses espaços, o ecossistema o fará por nós, usando as peças (recursos genéticos) que estão disponíveis no ambiente. Quando preparamos um canteiro para alface, podemos cultivar também a rúcula e o rabanete, que têm ciclos mais curtos. Mesmo que não exista um interesse comercial direto, essas plantas cumprem a função de preencher um intervalo no tempo e no espaço que de outra forma seria ocupado por alguma "infestante". Crescem as rúculas, seguidas das alfaces, seguidas de brócolis, por exemplo, cada qual ocupando determinado espaço em determinado tempo. A história segue: depois de colhidos os brócolis, o espaço será ocupado pelo próximo consórcio, composto, por exemplo, por inhame, milho e tomateiro, e assim por diante, até o estabelecimento das árvores. Assim, as ditas ervas daninhas serão substituídas por espécies que nos ofereçam colheitas alternativas, ou que sejam de manejo mais fácil.

Um exemplo bastante comum é a tiririca (*Cyperus rotundus*), uma planta odiada em muitas partes do mundo. Em hortas, ela costuma ocupar os canteiros mais rapidamente do que as plantas cultivadas. Arrancá-la é inútil, pois faz com que ela volte ainda mais forte. Arar ou gradear o solo tampouco resolve, pois faz com que seus rizomas se partam e se espalhem ainda mais. De um jeito ou de outro, ela sempre sai fortalecida após cada batalha. Na perspectiva do ecossistema, não há nada de errado. Ela é uma eficiente "plaqueta" do macro-organismo, sempre pronta a fechar as feridas que más práticas agrícolas criam no solo. Suas eficientes raízes e crescimento vigoroso impedem que o ambiente se degrade ainda mais. O nicho da tiririca são solos expostos e compactados. Portanto, é justamente essa condição que precisamos mudar.

Em Portugal e na Itália, tivemos que lidar com campos tomados pelo *Cyperus*. Nesses lugares, a solução mais adotada para contornar o problema é o plástico, que abafa o crescimento de qualquer erva, exceto naquele pequeno orifício dedicado às culturas. Trata-se de uma prática um tanto questionável ecologicamente, tendo em vista que a cobertura aquece o solo e praticamente "cozinha" a microvida. Do ponto de vista da Agricultura Sintrópica, essa solução não é satisfatória. Para nós dois, tais situações eram mais uma oportunidade de testarmos o tipo de manejo proposto por Ernst Götsch. Em vez de adotarmos a postura de guerra e controle, nós nos preocupamos em mudar as condições do local. O momento de preparo e descompactação do solo pode ser entendido como a etapa de distúrbio, ou seja, como a oportunidade de reiniciar a sucessão. Assim, plantamos consórcios completos, desde espécies de ciclo curto para fazerem a primeira e vigorosa cobertura do solo (sobretudo leguminosas) até as de ciclo médio e longo (aromáticas e hortaliças) que dariam continuidade ao trabalho e, claro, muitos arbustos e árvores. Além disso, cobrimos os canteiros com uma camada generosa de matéria orgânica. Em alguns casos, chegamos a plantar gramíneas nas laterais dos canteiros, tanto no outono quanto na primavera. O importante era manter o solo protegido e coberto, de forma a não perder o trabalho da descompactação. Nesse cenário, o vigoroso *Cyperus* ainda tinha forças para aparecer em algumas partes dos canteiros — sobretudo nos pontos onde o novo plantio havia falhado. Seu controle, no entanto, já não era mais uma batalha sem fim. Muitas vezes, ao ser puxado com cuidado, ele saía juntamente com seu pedaço de rizoma, graças ao solo que agora permanecia fofo. Em todos os casos, ele foi enfraquecendo com o tempo, vale repetir, foi perdendo seu nicho (solo exposto e compactado). Sua função já estava cumprida, e como diz Ernst, "ele já **podia** se despedir".

A outra abordagem proposta por Ernst Götsch para superar o inconveniente das ditas "ervas invasoras" é a de fazer alianças com algumas delas. Usemos os exemplos dos capins. Vindos do continente africano, os gêneros *Brachiaria* e *Panicum* (colonião) são capins famosos tanto por sua resistência quanto por sua produtividade e, justamente por isso, fazem parte da lista de espécies consideradas invasoras. Leves e pequenas, suas sementes viajam para longe com o vento, nos bicos, patas e intestinos dos tantos animais que as comem. Em virtude dessa facilidade em se propagar, e de sua inquestionável adaptabilidade, esses capins foram declarados inimigos da agricultura e contra eles criou-se todo tipo de defensivos, tanto mecânicos como químicos. Na contramão dessa tendência, desde 2013, Ernst começou a trazer os capins africanos para praticamente todos os seus modelos de plantio que partiam de áreas degradadas.

Talvez uma das primeiras vezes que Ernst identificou a oportunidade de fazer aliança com esses capins tenha sido durante um trabalho realizado no Pará, Brasil, em um projeto pioneiro de plantio orgânico de dendê em sistemas agroflorestais, cujo desenvolvimento tivemos o privilégio de acompanhar. O modelo de plantio incluía espécies cuja função principal era a produção de biomassa. Essas plantas (margaridão, puerária, gliricídia, ingá, entre outras) eram submetidas a podas e roçagens regulares, a fim de fornecer uma generosa cobertura vegetal às linhas das árvores, cumprindo a dupla função de nutrir e proteger o solo. Em uma das áreas do projeto, o agricultor responsável fez uma adubação inicial com cama de aviário e, possivelmente, ali também havia milhões de sementes de uma planta rasteira de difícil manejo, o ervanço (*Froelichia humboldtiana*). O ervanço se espalhou rapidamente nas entrelinhas do campo, atrapalhando o crescimento das culturas principais e das plantas adubadeiras.

Em algumas partes, o ervanço formou um tapete entrelaçado e cresceu para cima das árvores jovens. Uma outra espécie que também apareceu espontaneamente, no entanto, parecia não se incomodar com aquela situação: o capim colonião (*Panicum* spp.). Vez ou outra, era possível encontrar suas vigorosas touceiras com quase três metros de altura. Olhando bem de perto, notava-se que no entorno dessas touceiras o ervanço estava mais fraco, pois não resistia à sua sombra. Além disso, o solo ao redor das raízes do capim era mais úmido. Para Ernst, a conclusão era evidente: a melhor maneira de lidar com o ervanço era plantando aquele capim por todo lado. A aliança com o capim, de quebra, ainda forneceria uma quantidade gigantesca de biomassa para o sistema. Se, mesmo naquele período seco, as touceiras apresentavam tanto vigor, era de se supor que ao longo do ano, com 8 ou 9 cortes, a produção de biomassa para manter o solo coberto seria bastante expressiva e frequente — fator importante sobretudo na Amazônia, onde a decomposição de matéria orgânica é acelerada. Camadas mais generosas do capim cortado ao redor das mudas das árvores também iriam impedir que o ervanço se aproximasse. Na teoria, fazia sentido. Na prática, não conseguimos saber. A sugestão do Ernst encontrou uma barreira cultural. Aquele capim era odiado na região e o nome pelo qual é conhecido diz tudo: "capim gilete". À medida que envelhece, a planta fica mais fibrosa e com folhas cortantes. Embora fosse um problema contornável com um manejo que não a deixasse envelhecer, a tradição falou mais alto. Naturalmente, a decisão dos agricultores foi respeitada.

Felizmente, Ernst teve a chance de demonstrar o potencial colaborativo do capim em diversos outros momentos, sobretudo em sistemas agroflorestais de grande escala, nos quais o capim mombaça foi plantado em faixas entre as linhas das árvores. A largura dessa faixa pode variar, mas normalmente é de 5 metros —

larga o bastante para mecanizar o corte. O procedimento é fácil de entender: após cortado, o mombaça é enleirado (acumulado) para um lado e outro, nas linhas de árvores adjacentes. O monte formado pelo capim impede o crescimento de ervas indesejadas e, assim, exclui o uso de herbicidas. Além disso, à medida que seca, ganha uma tonalidade mais clara, que reflete a luz do sol e mantém, portanto, o solo mais fresco, úmido e cheio de vida. Por baixo dessa camada, as árvores lançam suas raízes e participam da decomposição da palha, em conjunto com bactérias e fungos que ajudam a transformar a matéria orgânica em adubo.

Em 2016, Ernst trouxe o uso do capim também para a produção de hortaliças. Sua decisão de plantar o mombaça nos canteiros de horta, segundo ele, aumentaria a fotossíntese total da área e evitaria o crescimento de ervas espontâneas indesejadas. O capim preencheria todos os espaços não ocupados pelas hortaliças, e sua transpiração criaria um "microclima" mais úmido na superfície do canteiro, o que reduziria a necessidade de irrigação. O manejo do capim foi sempre feito com um corte limpo (para melhorar as condições de rebrota) seguido da incorporação do material cortado na superfície dos canteiros. Sem espaço para crescerem, as ervas indesejadas tiveram poucas chances de prosperar. Outra vantagem observada foi que, ao que tudo indica, o capim estimulou o enraizamento das hortaliças. Quando comparamos o tamanho das raízes das rúculas de um canteiro com capim com as de um canteiro sem capim, a diferença foi de cerca de 10 cm. Os benefícios imediatos (menor necessidade de irrigação e maior vigor das plantas) somados aos benefícios de longo prazo (melhora das condições do solo), naquele contexto, sobrepuseram-se ao custo adicional da operação de poda do capim — até porque, sem ervas indesejadas, não houve nenhum trabalho ou custo de combate.

É por tudo isso que para a Agricultura Sintrópica não interessa o uso de herbicidas, pois seus efeitos, além de prejudiciais para o ambiente, não fazem sentido nenhum. Sob essa nova ótica, herbicidas não precisariam nem ser proibidos, uma vez que simplesmente se tornariam dispensáveis, prescindíveis. Como sociedade, não precisaríamos investir no difícil controle do uso de agrotóxicos se conseguíssemos superar a própria necessidade de usá-los. Certa vez, ouvimos a seguinte reflexão de um grande produtor: "Ninguém acorda de manhã cheio de vontade de jogar veneno na plantação. Não existe uma coisa dessas. A gente usa porque não vê outra saída". De fato, para darmos escala a práticas ecologicamente mais adequadas precisamos superar, além de muitos preconceitos, alguns desafios tecnológicos. Não há no mercado uma máquina que faça o corte e organize o capim em apenas uma operação e que, ainda por cima, seja leve o suficiente para não compactar o solo nem amassar as touceiras. As roçadeiras comuns não fazem um corte limpo, sem o qual não há uma boa rebrota. Elas normalmente fazem o contrário, estilhaçam o tecido da planta. Nesse quesito, as ceifadeiras têm um melhor desempenho, mas não resolvem a operação do enleiramento. Ernst sonha em desenvolver uma máquina com duas barras de corte limpo, uma acima da outra. A primeira estaria associada a uma esteira que conduziria o capim cortado para cair organizadamente ao lado das linhas de plantio. A segunda barra, uns 10 ou 15 cm abaixo, cortaria a biomassa que adubaria o próprio capim, de modo a lhe dar as melhores condições de rebrota. Enquanto o mercado não disponibiliza a máquina perfeita, alguns fazendeiros inovadores têm feito testes importantes que apontam a tecnologia para uma nova direção. Mas ainda é pouco. A agricultura moderna desperdiça investimentos nas "fábricas de desertos" e reforça preconceitos contra muitas espécies.

O capim é apenas um dos exemplos de como essa perspectiva se manifesta na prática. Não é ele, nem nenhuma outra "invasora" ou "infestante", que empobrece o solo. Afirmar isso é errado, injusto e sustenta nossa guerra contra a vida. Uma guerra de um exército só, pois essas mesmas plantas não só não estão brigando conosco, como também estão à disposição para colaborarem desde que nos alinhemos com a estratégia natural do planeta de criar fertilidade e condições para nossa própria sobrevivência.

Relação predador-presa — A fome é um meio

Em todos esses anos que trabalhamos com Agricultura Sintrópica, notamos que até mesmo as pessoas que empenham sua boa vontade para entender as relações ecológicas sob a perspectiva da cooperação logo se veem em um impasse: mas e a relação predador-presa? Subentende-se que estão querendo dizer: "não venham me dizer que existe um acordo livre e consentido quando um vai virar a janta do outro". De fato, não é bem por aí. Mas também não é como os documentários da vida selvagem fazem parecer ser: com requintes de terror e música de suspense ao fundo. O que acontece é que nós, seres humanos, saímos da cadeia alimentar e hoje nosso maior predador é nosso semelhante. Então projetamos nossas experiências de medo, crueldade e agressividade onde elas não necessariamente existem. Não deveríamos ser as melhores pistas para avaliarmos o chamado "mundo selvagem", pois nós trapaceamos nesse jogo. Para entender o que se passa no mundo natural, vale mais a pena investigar o que acontece no dia a dia dos seus legítimos jogadores.

Em todos esses anos também não encontramos melhor resposta para explicar o suposto dilema predador-presa do que uma história à qual Ernst Götsch recorre para ilustrar o tema. Sua memória remete ao tempo em que trabalhou na Namíbia, sudoeste africano. Ernst conta que chamou sua atenção um dia em que os trabalhadores da fazenda haviam se reunido em uma comemoração inesperada. Ao perguntar a que se devia toda aquela alegria, disseram-lhe que estavam celebrando, pois naquele ano haveria chuva. Chuva naquela região é, sem dúvida, motivo para festa. Mas, ao examinar o céu sem o menor sinal que indicasse qualquer mudança no tempo, Ernst insistiu em perguntar de onde vinha tanta certeza. A resposta foi: "as gazelas estão se reproduzindo e os leões não". Simples assim. O tom categórico com que isso foi dito talvez tenha inibido qualquer pedido por maiores explicações. A festa seguiu e a inquietação de Ernst se manteve. Afinal, qual seria a relação? Poderia até ser justificável pensar que a chuva garantiria o crescimento das gramíneas e, portanto, diante da maior oferta de comida, os herbívoros prosperariam. Mas essa seria apenas uma explicação parcial pois, pela mesma lógica, a abundância de herbívoros deveria justificar a reprodução dos leões. Mas a resposta daquele povo do campo havia sido muito objetiva e os indicadores pareciam estar indubitavelmente relacionados. Não era só o fato de que as gazelas estavam se reproduzindo, mas também o fato de que os leões não estavam.

Ernst diz que só foi entender melhor essa história muitos anos mais tarde, depois de trabalhar em diferentes ecossistemas, sempre observando a relação entre predadores e presas. Para Ernst, a explicação está baseada na função sintrópica da vida e na ideia de que a fome do predador é um meio para que ele realize a sua função no ecossistema, e não um fim em si mesma. Ao assumirmos que a vida cumpre a função sintrópica, entendemos que essa é a orientação a que estão submetidos os elementos de um ecossistema. Assim, a interação entre gramíneas, gazelas e leões resulta em um saldo positivo, ou seja, faz o ecossistema avançar no Gráfico da Vida (Figura 2, ver p. 70). Se há chuva, há proliferação de gramíneas, então naquele ano haverá mais trabalho para os herbívoros. Portanto, gazelas se reproduzem e leões não. Nos anos em que não há chuvas, por outro lado, haverá mais trabalho para os predadores carnívoros. Nesse caso, gazelas não se reproduzem e leões sim. A regra é a otimização dos recursos, nunca o desperdício. Segundo a premissa sintrópica, se a gramínea organizou e complexificou os resíduos entrópicos de luz e dióxido de carbono na forma de biomassa, não faria sentido dar meia-volta e reverter esse processo. É preciso passar para a próxima fase da complexificação da vida. Em vez de deixar o recurso degradar ao sol — sujeito a processos oxidativos — as gazelas entram em cena para dar continuidade à tendência sintrópica. Ao comerem a gramínea, elas complexificam aquela biomassa na forma de seu crescimento e reprodução. O leão, predador de topo de cadeia, dará o próximo passo. Por outro lado, se a produção de gramíneas diminuir, os leões se ocuparão da tarefa de manejar a população de herbívoros, assim não haverá nem sobrepastoreio da gramínea nem escassez de comida para as gazelas. Na perspectiva sintrópica, não é previsto que uma gazela sofra de subnutrição e sede. Isso é o que acontece com nossos animais domesticados quando os manejamos mal. Em um ecossistema harmônico, a rede da comida é a rede da vida. Morrer é a antítese do nascer, e não do viver. Viver é a síntese de participar com prazer e plenitude das dinâmicas sintrópicas do nosso planeta.

Assim, o predador não preda por maldade, por tirania nem com requintes de crueldade. A coevolução, inclusive, está relacionada com a especialização de ambos para que essa interação se dê em sua melhor performance. Tubarões não são maliciosos — isso é atributo do empreendedorismo humano. Cobras não são traiçoeiras — isso é um desvio de caráter humano. Lobos não torturam — isso é expediente de governos autoritários.

Na ecologia moderna há muitas teorias que procuram explicar o papel da predação na dinâmica de populações. De um modo geral, entende-se que as mudanças em sistemas ecológicos não são lineares e que o equilíbrio é válido apenas em escalas limitadas de tempo e espaço. Por isso preferimos aqui falar em sistemas harmônicos em vez de sistemas equilibrados. Equilíbrio pressupõe um ponto de tensão, tal qual uma gangorra. Harmonia, por outro lado, sugere um fluxo dinâmico, capaz de integrar a não linearidade. Como já explicado nas seções anteriores, é justamente nas escalas estendidas de tempo que encontramos as melhores evidências da tendência sintrópica da vida. Na história contada, tanto a gramínea quanto as gazelas e os leões estão alinhados com essa orientação. Caso esse seja considerado um relato anedótico, propomos apenas que não seja diferente para as tantas outras fábulas que criamos sobre medo, competição e guerra na natureza. Falaremos mais sobre isso na Parte 4, "Amor, prazer, encantamento e ética".

Lobo do bem ou lobo do mal?

Um dos exemplos mais famosos do efeito de predadores em um ecossistema é certamente o caso do Parque Nacional de Yellowstone, situado no extremo noroeste de Wyoming, Estados Unidos. Depois de décadas sem seu predador carnívoro (que havia sido exterminado pela ação humana), foi feita a reintrodução do lobo e todo o parque testemunhou as consequências disso. Para quem não conhece a história, de maneira resumida podemos dizer que a presença do lobo influenciou a população e o comportamento dos alces, o que, por sua vez, influenciou positivamente a regeneração da vegetação ripária, que, em consequência, estimulou a presença de pássaros e castores, os quais modificaram o curso dos rios. No fim, toda a paisagem se alterou, sendo constatadas uma flora e uma fauna mais diversas do que a observada antes da introdução dos lobos. Um notável exemplo de cascata trófica, interação entre elementos bióticos e abióticos, além de ser um trunfo para a conscientização sobre a necessidade de conservação da vida selvagem.

O caso Yellowstone aconteceu na década de 1990. De lá para cá, muitos estudos foram feitos para analisar os efeitos tanto no parque quanto em outros exemplos de reintrodução de predadores. Tradicionalmente, os principais fatores que são considerados como tendo influência sobre o tamanho de populações são: disponibilidade de recursos, relação de predação e competição interespecífica. Somam-se a essas abordagens alguns modelos interpretativos que consideram a predominância variável entre esses fatores, ou as relações de *feedback* positivo e negativo, ou ainda o modelo de ecologia do medo — segundo a qual a simples presença do predador mudaria o comportamento de sua presa, que, movida pelo medo, deixaria de frequentar determinados ambientes ou até mesmo passaria a se reproduzir menos. O grande esforço é no sentido de conciliar a variabilidade de resultados observados com uma explicação consistente acerca daquela dinâmica.

No debate sobre o caso de Yellowstone, por exemplo, há quem questione a durabilidade e intensidade das transformações observadas. Décadas após a reintrodução dos lobos, alguns estudos[113] apontam que os salgueiros, os álamos e os choupos que tiveram sua regeneração natural estimulada em um primeiro momento não necessariamente se transformaram depois em prósperas árvores adultas. Confirmados esses resultados, restaria enfraquecida a tese de que os lobos salvaram Yellowstone. A partir dos parâmetros da regeneração sintrópica, no entanto, as duas observações não parecem ser conflitantes.

Do ponto de vista da leitura ecológica baseada na sintropia, a presença (e a ausência) de animais de médio e grande portes em um ecossistema — sejam eles predadores de qualquer nível trófico — está principalmente relacionada com o passo sucessional no qual aquele ambiente se encontra (falamos sobre isso na seção "Grandes sistemas", p.68). Nesse sentido, a presença do lobo se justifica em sistemas de abundância e não se justifica em sistemas de acumulação. No caso de Yellowstone, é verdade que, com a presença dos lobos, os alces deixaram de oferecer pressão sobre a regeneração das árvores dos vales. Mas isso não quer dizer que esse fator isolado tenha sido suficiente para regenerar as condições gerais em que aquele ambiente se encontrava quase um século antes, quando o processo de degradação foi iniciado ou agravado pela extinção dos lobos. Com a perda de seu grande predador, aquele ambiente regressou para estágios menos avançados dentro da classificação de sistemas. A degradação resultante pode ter sido de tal monta que inviabilizou a regeneração natural em um curto espaço de tempo. A erosão e o rebaixamento dos lençóis freáticos, por exemplo, podem ter sido

---

113 MARSHALL, K. N.; HOBBS, N. T.; COOPER, D. J. Stream hydrology limits recovery of riparian ecosystems after wolf reintroduction. *Proceedings of the Royal Society B: Biological Sciences*, v.280, n.1756, 2013, 20122977-20122977.

impeditivos para o estabelecimento saudável de árvores mais exigentes, sem que estas fossem precedidas por outras espécies mais adequadas ao passo sucessional em que o ambiente então se encontrava.

O lobo fez muito por Yellowstone. Mas querer colocar na conta do lobo a responsabilidade pelo conserto de décadas de degradação seria muita inocência ou muita preguiça de nossa parte. A louvável reintrodução de predadores de grande porte deve ser invariavelmente coadunada com ações de regeneração do ecossistema no sentido de garantir que este esteja em um estágio sucessional no qual aquele predador é previsto. Isso significa dizer que seja um ecossistema cujas dinâmicas garantam: 1) as condições materiais para a sustentação de tais predadores, ou seja, alimento e abrigo e 2) as condições ecossistêmicas que justifiquem a sua presença, ou seja, um ecossistema no qual os resultados do metabolismo daquele predador façam sentido. Nem do bem nem do mal, o lobo apenas desliza pela vida. Uma vida que está preparada para recebê-lo e na qual ele pode realizar suas funções sintrópicas. Não sendo assim, será um descompasso.

PARTE 4

Amor, prazer, encantamento e ética

*"Não tenho um caminho novo.
O que eu tenho de novo é um jeito de caminhar."*
Thiago de Mello, *poeta amazonense*

Fomos ensinados que só sobrevive o mais apto. A todo tempo e por toda parte somos relembrados de que há uma disputa, um constante duelo para se conseguir o que se quer. Seja nos vídeos sobre a vida selvagem, seja no discurso motivacional nas empresas, ou ainda na prática esportiva, somos chamados a acionar desde os nossos hormônios primitivos até as mais elaboradas construções mentais para vencermos todas as dificuldades que se impõem. Fomos levados até a acreditar na existência de um gene egoísta (que justifica muita coisa apesar de explicar pouca). Nesse cenário criado de guerra é impossível julgar quem queira ser o vencedor, porque a outra opção seria a de ser o perdedor. É impossível criticar quem queira predar, quando parece que a única outra opção é ser a presa.

Por outro lado, a prática do amor, o exercício do prazer e da cooperação são aspectos que valorizamos. Mas, por mais que tentemos cultivá-los, eles acabam relegados a ambientes cada vez mais restritos: nosso meio familiar, nosso tempo livre, nosso desejo de como as coisas poderiam vir a ser. Ou seja, só podem ser praticados em caráter de exceção.

Será que existe alguma alternativa para isso? Será que o amor pode deixar de ser privado, o prazer pode ser a regra e a cooperação pode ser mais do que uma atividade de final de semana? Existe alguma saída para cá e para já? Neste mundo e não em um transcendente? Para agora e não para um futuro utópico? Sem apelar para as respostas pré-fabricadas, sejam elas sagradas ou profanas, há outros caminhos possíveis?

Nesta seção partimos dos conceitos utilizados por Ernst Götsch de **amor incondicional, cooperação** e **prazer interno** para propor algumas reflexões. Questionaremos algumas das certezas que compõem o nosso edifício conceitual e, nesse processo (fica o alerta), quebraremos alguns pisos e derrubaremos algumas paredes. O importante é não se satisfazer com o quadro que cobre o mofo do reboco ou com o tapete que disfarça o buraco no chão. Se as colunas de sustentação dessa construção estiverem comprometidas, que estas também sejam postas abaixo. A ruína que veremos ao nosso redor, apesar de incômoda, é apenas o sinal de uma necessária reconstrução, que, aliás, já está acontecendo.

A caixa de uma ferramenta só

Comecemos com um dos pontos centrais: o fundamento do estilo de pensamento baseado na competição é enganoso. Ele nasce de uma interpretação muito particular e questionável da teoria da seleção das espécies. A ideia da competição tal qual chegou ao senso comum não é a essência do pensamento de Darwin, mas pegou emprestado dele uma autoridade científica (em seu pior sentido) que, não por acaso, é sempre recrutada para intimidar qualquer alternativa. Por esses e por outros motivos, essa mentalidade da competição rapidamente se infiltrou nas mais diversas esferas de nossa vida. Na verdade, a sua transposição do mundo biológico para o mundo social só fez fortalecê-la ainda mais. Nesse movimento, o que começou como uma analogia passou a ter seus próprios critérios de validade autorreferentes. Ou seja, primeiro a supostamente observada competição na natureza explicou a competição na sociedade. Depois, as evidências de competição na sociedade passaram a justificar as interpretações de competição na natureza. E, nessa nossa "caça do próprio rabo", acabamos negligenciando outras possíveis interpretações e subestimamos a quantidade de limitações que isso imporia à nossa leitura do mundo, das relações e do funcionamento dos ecossistemas.

Nem que seja pelo exercício da hipótese, convidamos você a revisar tudo que sabe sobre o funcionamento da natureza sem recorrer às ideias de competição por recurso, luta pela sobrevivência, estado de alerta diante de ameaça, necessidade de se defender etc. Ao abandonar esse quadro conceitual, parece até que nós ficamos sem vocabulário, sem as imagens necessárias, sem as peças nem as ferramentas para descrever o que observamos. É como se perdêssemos a metáfora fundamental que apoia o nosso discurso. Nós ficamos com uma caixa de ferramentas vazia.

Ainda no mesmo exercício, encha novamente sua caixa de ferramentas, só que agora, em vez de **guerra**, **competição** e **luta**, substitua-as respectivamente por **amor**, **cooperação** e **prazer**. Agora tente de novo descrever a natureza e suas relações. O que acontece? Parece bom demais para ser verdade? Soa piegas? Ingênuo? Parece no mínimo não científico, certo? Mas já vamos tratar inclusive disso.

Apesar dessa suspeita inicial, é preciso lembrar que, independentemente de qual caixa de ferramentas usamos, a natureza continua crescendo, acumulando vida e se diferenciando — assim como você viu na seção "Sintropia — Fluxo de recursos". A escolha de qual ferramenta interpretativa vamos usar não interfere na dinâmica da natureza. Mas interfere, e muito, nas nossas atitudes com relação a ela. As relações causais que nossa interpretação impõe aos fatos observados só parecem ser inevitáveis depois que decidimos qual caixa de ferramentas usar. E essa decisão não está baseada necessariamente em experiências empreendidas, mas apenas em uma escolha.

Para nós, a possibilidade de uma escolha diferente da convencional começou a fazer enorme sentido depois que entramos em contato com a agricultura proposta e praticada por Ernst Götsch. Foi ali que pudemos ver esses termos serem usados tanto no discurso quanto manifestados na prática, na forma de colheitas abundantes. A concretude dos resultados da prática agrícola facilita, de certa forma, a aproximação ao tema. Pelo menos para nós dois foi assim. Dar o benefício da dúvida não exigia muito. Não precisávamos concordar com tudo para começar a fazer nossas próprias investigações. E assim o fizemos. As visitas às áreas produtivas do Ernst e de seus alunos, bem como nossas próprias experiências em pequena escala, começaram a nos render uma coleção de evidências e uma porção de inquietações. Por sua vez, estas nos impulsionaram novamente à teoria, com a intenção de realizar, ali também, alguns testes. Testes dos alcances e limites dos conceitos, de sua coerência interna e dos possíveis diálogos a se estabelecer. O que percebemos ao longo dessa jornada é o que queremos compartilhar aqui e agora.

Partindo da peculiar caixa de ferramentas que Ernst Götsch usa na sua interpretação das dinâmicas e do funcionamento dos ecossistemas, tem-se que na natureza não há competição. Com exceção do ser humano moderno e dos animais por ele domesticados, todas as relações, tanto dentro da mesma espécie (intraespecífica) quanto entre espécies diferentes (interespecífica), ocorrem, segundo sua perspectiva, "unilateralmente movidas pelo amor incondicional e pela cooperação". Mas não para por aí. Ernst ainda propõe a categoria que ele chama de **prazer interno** como o sentimento que deriva da realização da sua **função**. Ernst diz: "Cada indivíduo, de cada geração, de todas as espécies, aparece equipado para realizar suas tarefas e cumprir suas funções movido pelo prazer interno".

Suspeitamos que é justamente nesse conjunto de conceitos que residem, ao mesmo tempo, um grande potencial de atração para a Agricultura Sintrópica e uma grande reação de suspeita com relação a ela. Para os que se aproximam, o que fala mais alto é a sensação de ressonância com seus valores pessoais. Para os que se afastam, predomina a voz da racionalidade moderna e da objetividade clássica que nos ensinam a rejeitar ideias como essas, pois não seriam consideradas científicas. As duas tendências, inclusive, podem habitar a mesma pessoa. O fato é que soa no mínimo inesperado (para muitos de nós) essa aproximação de universos que aprendemos a considerar absolutamente distintos.

Entender as relações na natureza a partir da cooperação e do amor incondicional pode parecer um acordo exigente demais para se assinar assim, logo de cara. Mas, por que será que não temos a mesma cautela na hora de assinar o acordo perpétuo com a competição? Por que não questionamos o tanto que isso exige de nós, o tanto que nos restringe, limita e impõe?

A chave (do nosso entendimento) das relações

A ciência moderna tem avançado com relação ao entendimento do papel da cooperação graças, principalmente, à ecologia e à microbiologia. Mecanismos de colaboração e de facilitação ajudam a explicar tanto a dinâmica de ecossistemas complexos — como a Amazônia — como também a composição de comunidades de plantas em ambientes mais restritos em recursos — como as restingas[114]. Quer dizer, seja na fartura ou na escassez, relações colaborativas acontecem.

Nos estudos sobre o papel da cooperação nos mecanismos evolutivos, temos uma variação de abordagens que vão desde os idos de 1890, com o conceito da **ajuda mútua**[115], passando pela descrição de comportamentos **altruístas**[116], ou o direcionamento no sentido do **bem-estar do grupo**[117], até encontrar a solidez teórica e empírica da **teoria da endossimbiose**[118], de Lynn Margulis, já na década de 1960.

Cada abordagem com perspectivas muito particulares, mas todas acusadas, em maior ou menor grau, de possuírem um caráter teleológico. Ou seja, são acusadas de insinuarem um propósito final, como uma espécie de desígnio da natureza — o que seria contrário ao modelo de racionalidade científica. No entanto, é curioso observar que, para explicar as dinâmicas de competição, recorre-se ao **bem-estar individual** como um direcionamento, e ao **egoísmo** e à **ganância** como um sentido inevitável. Mas esses valores, apesar de terem a mesma natureza finalista, nunca são questionados do mesmo jeito. Sem esses valores implícitos seria impossível sustentar as teorias baseadas na competição. A única diferença é que estamos mais acostumados com essas convic-

---

[114] ZALUAR, H.; SCARANO, F. Facilitação em restingas de moitas: um século de buscas por espécies focais. *Ecologia de Restingas e Lagoas Costeiras*, 3-23, 2000.

[115] KROPOTKIN, PIOTR. *Ajuda mútua: um fator de evolução*. São Sebastião: A Senhora Editora, 2009.

[116] WEST, S. A.; GARDNER, A.; GRIFFIN, A. S. Altruism — Quick guide. *Current Biology*, v.16, n.13, 2006, p. 482-3.

[117] LEHMANN, L.; KELLER, L.; WEST, S. et al. Group selection and kin selection: Two concepts but one process. *Proceedings of the National Academy of Sciences*, v.104, n.16, 2007, p.6736-9.

[118] Inspirada inicialmente no biólogo russo Konstantin Merezhkovsky, que havia publicado uma proposta semelhante em 1905, Margulis desenvolve uma teoria sobre a origem das células eucarióticas que tem implicações que vão desde o entendimento do ecossistema planetário até os processos evolutivos. A "teoria da endossimbiose sequencial" foi apresentada em *The Origin of Eukaryotic Cells*, publicado em 1970.

ções. Fomos treinados para isso. Mas estarmos acostumados não muda o fato de que entender a ganância e o egoísmo como regras constitui uma premissa. E, tal qual qualquer premissa, ela pode e deve ser questionada. Afinal, mesmo quando ocultas — ou principalmente quando ocultas —, premissas determinam uma orientação para nossa interpretação, da qual, mais tarde, fica difícil se desvencilhar.

Há um crescente chamado pela atualização das teorias e conceitos ecológicos modernos, para que passem a considerar o papel das interações positivas entre espécies na organização de comunidades terrestres e aquáticas. Os cientistas que estão dispostos a enfrentar esse desafio antecipam que esse não será um processo indolor[119]. Premissas cairão por terra e modelagens serão descartadas. Mas na ciência não se pode ter apego ao erro.

Lynn Margulis preferia simplesmente não recorrer ao binômio competição/cooperação por entender que estes não seriam os termos mais adequados para descrever a natureza. É possível compreender essa posição se pensarmos que, pela lógica, falar em **cooperação** só faz sentido quando em contraposição à **competição**. Ou seja, se uma não existisse, não haveria por que existir a outra. Haveria apenas **relações** e, talvez, falássemos delas apenas segundo suas **propriedades emergentes**. Mas, olhando para o contexto atual de crises que vivemos, o estado das coisas sugere que ainda não podemos nos dar ao luxo de dispensar a ideia de cooperação e todo o potencial a ela associado, o qual ainda não foi sequer experimentado. Se o que nos trouxe até aqui foi, inclusive, o fato de termos permitido que a ideia de competição fosse insidiosamente infiltrada nas nossas noções ecológicas,

---

[119] BRUNO, J. F.; STACHOWICZ, J. J.; BERTNESS, M. D. Inclusion of facilitation into ecological theory. *Trends in Ecology & Evolution*, .v.18, n.3, 2003, p.119-25.

econômicas e políticas, é quase irresistível nos perguntarmos o que aconteceria se fizéssemos um uso consciente e deliberado da ideia de cooperação.

Sistema inteligente

A ideia de cooperação tem caráter fundamental no conjunto do pensamento de Ernst Götsch. Para ele, a cooperação se manifesta nas relações já citadas entre plantas criadoras e criadas que compõem consórcios sucessivos, entre manejadores e manejados que atuam nas dinâmicas da cadeia trófica e até mesmo na relação entre as ditas pragas e o macro-organismo no qual elas estariam interferindo. Para Götsch, todas essas interações colaboram de forma sincronizada para o incremento de recursos. Em coerência com a tendência sintrópica da vida, o resultado do metabolismo das partes que constituem o macro-organismo modifica o ambiente a favor de formas cada vez mais complexas de vida.

Em mais de uma oportunidade nos vídeos que produzimos com Ernst Götsch ele diz: "Nós agimos como se fôssemos 'a espécie inteligente'. Somos? Ou apenas, modestamente, somos parte de um sistema inteligente?". Essa proposta não é necessariamente coincidente com a **teoria de Gaia** em todas as suas dimensões, mas decerto dialoga com ela em importantes aspectos — sobretudo com as novas leituras que a recente retomada dessa teoria trouxe.

O químico inglês James Lovelock (1919-2022) foi um dos primeiros a afirmar, no início da década de 1970, que a vida como um todo otimiza o ambiente para seu próprio uso. Logo em seguida, a contribuição de Lynn Margulis na explicação da simbiose microbiana acrescentou profundidade ecológica à teoria. Segundo a teoria de Gaia, aspectos dos gases atmosféricos, das rochas e das águas superficiais seriam regulados pelo nascimento, morte, metabolismo e outras atividades dos organismos vivos. Assim, temperatura, acidez e salinidade seriam mediadas pela ação da vida, que agiria no controle homeostático do planeta como um todo.

A ideia de que a Terra é um organismo único — atalho geralmente frequentado tanto por aliados quanto por opositores da teoria de Gaia — é na verdade uma imprecisa redução, segundo Margulis. Mais acurado seria dizer que a Terra, no sentido biológico, tem um corpo mantido por complexos processos fisiológicos[120]. Importa fazer essa distinção, pois organismos se alimentam e geram resíduos. No sistema Terra, no entanto, os resíduos de um organismo são o alimento de outro. Nesse sentido, Gaia seria "uma propriedade emergente da interação de organismos, o planeta esférico no qual eles moram e uma fonte de energia, o Sol"[121].

Aqueles que são contrários à teoria de Gaia normalmente não concordam com a explicação de que os seres vivos, por seu metabolismo, modificam o ambiente de tal modo que as condições que garantem sua própria existência deixem de existir e abram espaço para novas espécies prosperarem. Segundo esses opositores, não faria sentido tamanha generosidade. Mas, conceber que seres vivos atuam a favor de um todo em vez de priorizarem o benefício próprio só é difícil se estivermos comprometidos com as concepções da competição — ou, pior ainda, se estivermos vendidos para a ficção do gene egoísta. Para sustentar essa visão é preciso fechar os olhos para todos os exemplos que apontam que,

---

[120] MARGULIS, L. *O Planeta Simbiótico — uma nova perspectiva da evolução*. Rio de Janeiro: Rocco, 2001, p.108.

[121] MARGULIS, L. *O Planeta Simbiótico — uma nova perspectiva da evolução*. Rio de Janeiro: Rocco, 2001, p.112.

desde a formação da atmosfera em tempos remotos até a própria sucessão ecológica, é isto o que acontece: a crescente complexidade das formas de vida se dá por meio de cadeias orquestradas de processos nos quais participam inúmeros organismos que, por sua vez, preparam o terreno para a emergência de novas espécies.

Se a competição fosse a regra, a desestabilidade seria sempre o produto, já que só restaria o vencedor. No entanto, contrariando essa perspectiva, e desafiando as probabilidades, o fato é que a vida é um fenômeno planetário e a superfície da Terra está viva há pelo menos 3,5 bilhões de anos. Durante todo esse tempo, a vida tem mantido sua dinâmica com os sistemas abióticos e tais dinâmicas são muito mais bem descritas por meio do entendimento de processos regulatórios do que por meio da competição.

Mais recentemente, a teoria de Gaia tem ganhado contribuições de pesquisas que combinam biologia evolutiva e geoquímica para descrever a formação do nosso planeta pela vida[122], bem como de estudos que experimentam variações do conceito em diversas áreas, com frutíferas releituras que falam, por exemplo, em regenerantes de Gaia[123], Gaia 2.0[124] ou mesmo com outros nomes como a "regulação biótica do ambiente"[125]. Na iminência de uma crise global climática e ambiental, essas discussões ganham novo fôlego com as ciências do sistema terrestre — empreendimento transdisciplinar que tem por objetivo compreender a estrutura e o funcionamento da Terra como um sistema adaptativo complexo. Para os cientistas do sistema terrestre, o grande desafio atual seria

---

122 LENTON, T.; WATSON, A. *Revolutions That Made the Earth*. Oxford University Press, 2011, p.44-59.

123 SCARANO, F. R. *Regenerantes de Gaia*. Rio de Janeiro: Dantes, 2019.

124 LENTON, T. M.; LATOUR, B. Gaia 2.0. *Science*, v.361, n.6407, 2018, p.1066-8.

125 GORSHKOV, V. G.; GORSKOV, V. V.; MAKARIEVA, A. M. *Biotic regulation of the environment: key issue of global change*. Springer-Praxis Series in Environmental Sciences, London: Springer, 2000.

alcançar uma integração profunda dos processos biofísicos com as dinâmicas humanas[126].

Entender o planeta Terra como um sistema complexo de coevolução tem enorme potencial para alterar de forma significativa nossa perspectiva e nossas atitudes. No entanto, se falar em Gaia já encontrou tanta resistência e melindrou tanto o cânone, imagine só quanto obstáculo terá que enfrentar uma proposta, como a de Ernst Götsch, que destaca o **amor** como uma força central dentro da natureza.

Amor cego, egoísta ou subversivo

Amor é um conceito que nos acessa com facilidade porque somos afeitos a ele. Essa familiaridade, no entanto, faz com que a ideia se acomode com rapidez em uma cama de repertório que já existe dentro de nós e que não necessariamente — ou, pelo menos, nem sempre — é a mais apropriada.

Para Ernst, o amor incondicional que se manifesta em toda a natureza tem algumas características muito particulares que ele procura replicar nas interações que mantém enquanto agricultor com seu agroecossistema. A princípio, isso parece se assemelhar ao conceito de **biofilia**, que seria o amor pela vida e pelos sistemas vivos. Na década de 1980, o biólogo e teórico Edward Wilson descreveu a **hipótese da biofilia**, segundo a qual os seres humanos teriam uma tendência psicológica de filiação a tudo o que seja vivo, ou um amor inato pela natureza. Nesse caso, o

---

[126] STEFFEN, W.; RICHARDSON, K.; ROCKSTRÖM, J. et al. The emergence and evolution of Earth System Science. *Nature Reviews Earth & Environment*, v.1, n.1, 2020, p.54-63.

amor seria explicado por uma herança genética que nos conecta às outras formas de vida. O que a princípio parece ser uma boa ideia esconde uma falha fundamental. Segundo essa lógica, nós amaríamos outras formas de vida não porque elas teriam um valor em si, mas sim porque existe uma conexão evolutiva que nos liga a elas. O impulso desse amor por outras formas de vida estaria, então, condicionado a nelas encontrarmos algo que reconhecemos como nosso, ou a nós relacionado. Ou seja, nós, seres humanos, temos nós mesmos como único critério de valor. Essa concepção de que o homem está no centro de tudo, o **antropocentrismo**, é justamente a fonte de muitos de nossos equívocos ecológicos.

No entanto, quando Ernst Götsch fala em amor, parece-nos que o conceito está mais próximo das **visões ecocêntricas**, ou seja, aquelas que colocam o ecossistema no centro e não o ser humano. Tanto é assim que Ernst chega a mencionar que o amor incondicional se aplica em sua relação "com o solo, com as plantas, com os animais, bem como com o ciclo da água e dos nutrientes". Estamos, portanto, falando de um amor que se expande não apenas entre diferentes espécies, mas também um amor por sistemas abióticos e até mesmo um amor por ciclos biogeoquímicos.

Aqui vale a pena uma pausa para refletirmos sobre o que seria amar um ciclo biogeoquímico. Será que isso é possível? Será que temos alguma ideia, nem que seja vaga, sobre como se faz isso? Qual seria um amor possível pelo ciclo do fósforo ou do carbono, ou do potássio? Seria o amor daquele pesquisador obcecado pelo tema? Ou seria o amor daquela criança que se encanta profundamente tão logo entra em contato com um novo universo? Ou seria o amor do poeta que se inspira pela metáfora do caráter cíclico da vida? Que tipo de exercício de amor é preciso desenvolver para dar conta de amar não somente os animais e as plantas, mas também os sistemas não vivos, os pulsos, os ciclos e processos da natureza? Por enquanto, basta concordarmos que a resposta não é tão simples assim. Voltaremos a isso mais adiante. Mas, antes, precisaremos desfazer um outro grande edifício conceitual que costuma andar de mãos dadas com a noção de amor: o individualismo.

Para Ernst Götsch, o amor incondicional manifestado no ecossistema é pautado pelo cumprimento da estratégia de incremento de energia do sistema como um todo. Ou seja, a atenção não se volta para o indivíduo, mas sim para a realização da tarefa. Por isso, para entendermos a que tipo de amor Ernst se refere quando fala que na natureza todos são movidos pelo amor incondicional, precisamos considerar que o funcionamento do ecossistema tem posição central. Cada indivíduo, tal qual uma célula de um corpo, é um elemento constituinte e existe em função do todo. Sua melhor performance individual é aquela que produz os melhores resultados para o organismo. Se, no sentido contrário, uma célula resolve atuar em favor de si própria, ignorando o funcionamento do corpo, ela então passa a ser considerada um corpo estranho, ou seja, uma patologia. Se considerarmos que nós, seres humanos, fazemos parte dos processos fisiológicos que compõem o sistema Terra, e se não quisermos agir como células cancerígenas dentro desse corpo, precisaremos antes de tudo questionar nosso individualismo.

A partir dessa ruptura com o individualismo temos que revisar o que normalmente entendemos por amor incondicional, porque aqui ele se afasta bastante do modo como o utilizamos no cotidiano. O discurso culturalmente compartilhado sobre maternidade, por exemplo, costuma monopolizar a ideia de amor incondicional. São as mães que mais fazem uso dessa expressão para descrever o que sentem por seus filhos. Fora esse domínio, o amor incondicional costuma estar restrito a um grupo seleto, aos mais íntimos, ou seja, "aos nossos". Seria um tipo de amor seletivo e abnegado — que costuma ser louvado justamente por estas duas características: a exclusividade do objeto do amor e a renúncia pessoal daquele que ama. Ou seja, o amante abdica de si mesmo em benefício do outro. Mas é importante destacar que esse "outro" é um outro que tenha sido por ele escolhido. A suposta virtude dessa prática do amor tem como principal efeito estabelecer limites entre um "nós" (eu e os por mim escolhidos) e "os outros" (aqueles que estão fora dos meus critérios de escolha e valor). Acontece que essa é exatamente a mais ancestral justificativa para a guerra. Esse tipo de pensamento pode estimular a colaboração em pequena escala, mas ela só acontece em função da disputa com tudo o que seja externo àquele grupo. O que importa pontuar é que, em ambientes privados, o amor fica limitado. Além do que, se em nome do amor incondicional eu o defendo mesmo que você esteja errado, isso nada mais é do que uma perversa salvaguarda moral. Esse amor ajuda a formar máfias, não redes colaborativas. Do ponto de vista do ecossistema, esse tipo de amor não serve para nada. Às vezes é difícil perceber, mas o altruísmo pode ser tão egocentrado quanto o egoísmo. No coração desse problema está nosso individualismo, que nos cega. A boa notícia é que essa cegueira não precisa ser permanente. Até porque nem sempre foi assim. Ainda voltaremos a tratar de outras formas de amor, mas antes deixe-nos apresentar um velho conhecido: o indivíduo ocidental moderno.

Indivíduo ocidental moderno, muito prazer

Para nos ajudar a desfazer a noção de indivíduo que está "tatuada" no nosso imaginário, basta lembrar que nem sempre foi assim. Na verdade, esse modelo de indivíduo superinflado que hoje conhecemos é bastante recente na história e tem muito a ver com o avanço do liberalismo entre os séculos XVIII e XIX. Antes disso, nas comunidades do período medieval, a identidade estava mais ligada à coesão social do que às vontades individuais. Retrocedendo ainda mais, na Grécia Antiga, pertencer à *polis* era mais importante do que valorizar autonomias individuais. Com as mudanças nos modos de vida a partir da Renascença, o pertencimento à coletividade foi gradualmente sendo substituído pelo destaque do sujeito e pela defesa de sua emancipação. A boa herança que temos desse movimento relaciona-se com a consolidação de liberdades, garantias e direitos individuais fundamentais. A má herança, por outro lado, foi a de termos nos tornado indivíduos fragilizados pela desagregação social e, por isso, vulneráveis a cooptações dos nossos desejos ou a manipulações de nossas carências por toda a sorte de interesses — estes comprometidos com tudo, menos com nossa real libertação. Hoje somos exortados a supervalorizar as sensações do indivíduo e isso, vira e mexe, manifesta-se na forma da concessão de indulgências quase sempre consumistas. Basta olhar o alvo principal da publicidade e da propaganda. Miram e acertam precisamente nessas nossas necessidades, fazendo-nos crer que tudo o que precisamos — e, mais do que isso, tudo o que merecemos — está ao nosso alcance, logo ali, na prateleira.

Portanto, voltando apenas pouco tempo atrás na história do ser humano moderno, já conseguimos questionar a noção de individualismo que hoje prevalece. Esse resgate nos ajuda a perceber que esse tipo de santificação das sensações do indivíduo a que hoje estamos acostumados certamente não é a única maneira de se viver. Imagine então se ampliarmos nossa perspectiva para a história do ser humano. Quão bizarro soaria para a maioria de nossos antepassados *Homo*, que viviam em coletivos com intensa interação entre si e com o seu meio, se lhes falássemos sobre nossos traumas, anseios, objetivos, desejos e prazeres... todos no âmbito única e exclusivamente individual. A maneira como um neandertalense navegava pela experiência da vida sem fronteiras entre si e seu bando, ou com finas membranas altamente permeáveis entre si e o ambiente que o rodeava, simplesmente escapa à capacidade de configuração do indivíduo ocidental moderno. Inebriados que estamos pelo nosso valor autoproclamado, seguimos na atividade, até hoje malsucedida, da busca do nosso prazer.

Que prazer é esse?

O mesmo deslocamento com relação ao indivíduo precisa ser feito para se entender o conceito de **prazer interno**, tal qual utilizado por Ernst Götsch. Se mantivermos, inadvertidamente, o indivíduo como o eixo central, isso nos levará ao erro de entender o prazer interno como algo hedonista, ou a prioridade da busca pelo próprio bem-estar. Com a ruptura que estamos sugerindo da centralidade do indivíduo, podemos, entretanto, partir da tendência sintrópica da vida. A consequência disso é que o prazer interno passa a estar mais relacionado com a ideia de pertencimento ao macro-organismo do que com uma satisfação pessoal em si.

Não por acaso, sempre que Ernst fala em prazer interno, o faz relacionando-o com o "cumprimento da função" — as espécies estariam aptas para realizar tais funções pois vêm devidamente equipadas para isso, segundo sua perspectiva. De pronto poderíamos associar essa especificidade a exemplos como o de uma determinada ave que tem um bico adaptado para abrir determinado fruto, ou quebrar certas sementes e não outras. Nesse caso, a pressuposição seria a de que a função dessa ave no macro-organismo está relacionada com a dispersão da semente da árvore cujo fruto ela come. A realização dessa tarefa, por sua vez, proporciona-lhe o prazer — aqui fácil de identificar — da degustação do fruto.

Também é relativamente simples inferir que o emprego dos cinco sentidos ou de peculiaridades anatômicas pode estar associado a alguma sensação satisfatória. Assim a gazela corre, o tatu cava, o gavião mira o horizonte e o lobo fareja — bem como a galinha cisca, o porco chafurda e o boi migra (ou pelo menos era assim que deveria ser se não os escravizássemos). E, ao fazê-lo, interagem com o ambiente de forma prazerosa. Um pouco mais complicado (para nós) seria reconhecer o prazer em uma planta. Mas o seu pleno vigor e desenvolvimento poderia muito bem ser um indicador disso, em contraposição à sua fraqueza e vulnerabilidade, que seriam o sinal de falta de prazer. Aos olhos de Ernst, uma planta que expressa toda sua potência está prazerosamente realizando sua função, enquanto uma planta que apresenta sinais de debilidade estaria "se recusando" às condições degradantes às quais foi submetida, como costuma dizer. Ernst geralmente sugere a seguinte reflexão: "Se você estiver sendo explorado sistematicamente, o que você faz? Chega uma hora que você simplesmente se recusa, não pode mais!". Em contraposição, operar seus atributos para se engajar na ciranda sintrópica da vida traria o tal prazer que, aliás, não é qualquer prazer, é o prazer interno.

É digno de atenção o fato de Ernst qualificar esse suposto **prazer** como **interno**. Quer dizer, não seria um prazer genérico vinculado a uma busca por um bem-estar indistinto, mas sim um prazer específico, com algo singular que o diferencia. Considerando que a língua nativa de Ernst Götsch é o alemão, suspeitamos que ali poderíamos encontrar pistas dos sentidos e das valorações subjetivas que, normalmente, carregamos desde nossa matriz linguística. Quando perguntado sobre qual seria a tradução de prazer interno para o alemão, Ernst indicou *inneren antrieb* que, sintomaticamente, pode também ser traduzido por **motivação**, **estímulo** e **impulso**. Nesse sentido, o trabalho de um agricultor de manejar um ecossistema mantendo ou favorecendo o fluxo sintrópico de energia teria esse motor, essa pulsão, cuja realização traria prazer. Ao abordarem o conceito de sintropia aplicado à psicologia, os pesquisadores italianos Antonella Vannini e Ulisse Di Corpo chegaram a semelhantes conclusões em seus experimentos, mencionando as ideias de **propósito** e de **sentimento de realização** em contraposição aos **sentimentos de vazio, dor emocional, ansiedade** e **angústia**[127] — estes últimos experimentados como resultado de ações contrárias à sintropia.

Agricultores de diferentes perfis, quando entrevistados sobre as implicações derivadas da adoção de práticas de Agricultura Sintrópica, descreveram algumas percepções que poderiam ser interpretadas como manifestações do tipo de prazer ao qual Ernst Götsch se refere. Eles mencionaram, por exemplo, os sentimentos

---

[127] DI CORPO, U.; VANNINI, A. *Syntropy: the spirit of love*. Princeton: ICRL Press, 2015.

de "alegria" e "orgulho" diante dos resultados do plantio, citaram o engajamento em novos tipos de comércio e troca de serviços que favoreçam a comunidade em vez de valores individualistas, e também apontaram mudanças no nível de apego e intimidade que desenvolveram com a terra, agora vista como um organismo[128]. A experiência que tivemos de trabalhar com hortas escolares sintrópicas reforçou a percepção do papel central que o prazer desempenha na interação das crianças com aquele ambiente de aprendizagem afetiva[129].

Cumprimento da função

Na perspectiva da Agricultura Sintrópica, portanto, tanto a realização do prazer interno quanto a prática do amor incondicional se afastam das noções individualistas, às quais normalmente associamos esses conceitos, e se aproximam da ideia de cumprimento da sua função na tendência sintrópica do ecossistema, bem como se conectam com a noção de pertencimento ao macro-organismo.

Para Ernst Götsch, assim como cada espécie tem uma função para cuja realização veio equipada, o planeta também teria uma função. E a vida seria uma das estratégias do planeta para realizar a sua função. Para Ernst, "a vida é parte da estratégia do planeta para cumprir sua função sintrópica de ser". Essa interpretação

---

[128] ANDRADE, D. V. P. *Agricultura, meio ambiente e sociedade: um estudo sobre a adotabilidade da Agricultura Sintrópica*. Tese de Doutorado. Núcleo em Ecologia em Desenvolvimento Socioambiental, Universidade Federal do Rio de Janeiro, 2019.

[129] ANDRADE, D. V. P; PASINI, F. S. Hortas sintrópicas nas escolas. *Revista Perspectivas em Educação Básica — Colégio de Aplicação da Universidade Federal do Rio de Janeiro*, v.4, 2020.

sugere que do líquen à floresta, ou das bactérias do solo aos animais de grande porte, a vida se ocupa de realizar a função sintrópica. Nesse sentido, as partes desse macro-organismo que estão a favor desse fluxo transitam pela vida em um ambiente que as acolhe. As que estão contra transitam pela vida em um ambiente que as quer expulsar.

Nas seções anteriores, mesmo sem dizer, estávamos apresentando exemplos práticos do exercício do amor incondicional e do prazer interno quando falamos da dinâmica predador-presa, dos agentes de otimização dos processos de vida ou da própria sucessão. Por meio da realização de suas respectivas funções, todas essas formas de vida participam de processos inerentemente sintrópicos. Mas faltou falar de uma outra forma de vida: o ser humano. Qual seria nossa função dentro desse sistema?

Qual é a vida que vale a pena ser vivida?

Mais do que um título chamativo, essa é a pergunta de sempre da filosofia. Mas na filosofia não se costuma encontrar uma resposta certa. Pelo menos não apenas uma. Então para que raios serve isso? Serve para nos ajudar a enfrentar as perguntas que têm que ser feitas. E a pergunta que não quer calar em nossa contemporaneidade é a seguinte: como vamos fazer para não sermos expulsos do sistema?

Antes de termos a pretensão de salvar a natureza, talvez tenhamos que procurar saídas para que o ser humano não perca seu habitat nem sua função no ecossistema. Temos que nos ocupar de salvar alguma chance, se existente, de permanência para nossa recente, frágil e arrogante espécie. Recente porque na história da vida na Terra nós somos um dos últimos projetos — talvez sejamos um rascunho, ainda em teste, ainda sujeito a *recall* ou descontinuidade. Frágil porque as nossas necessidades são muitas — água e ar limpos, comida de sistema de abundância, sem falar nas nossas muitas fomes culturais. E somos também arrogantes — ficamos narcisisticamente confusos e esquecemos das nossas duas primeiras características, o que só faz incrementar nossa debilidade e aumentar a probabilidade de a extinção da nossa espécie ser um recurso a ser ativado pelos processos regulatórios do planeta.

Parece-nos que é um pouco a isso que Ernst Götsch se refere ao afirmar que, quando partes do macro-organismo atuam em desarmonia, são provocadas modificações — as quais, por sua vez, fazem com que a presença do "emissor daquela desarmonia" se torne inoportuna. "São expulsos", costuma concluir.

O **emissor da desarmonia** lembra muito o antigo conceito grego de ***hibris***, que seria o comportamento contrário à ordem cósmica. O leitor familiarizado com a filosofia grega clássica provavelmente vem escutando ecos desse conhecimento antigo ao longo de todo o nosso livro: a conversa sobre o amor ressoa os diferentes tipos de amor definidos pelos gregos, tais como ***eros***, ***storge*** e ***ágape***[130]; o prazer interno pode ter feito lembrar a ***eudaemonia***[131], enquanto consequência afetiva do alinhamento

---

130 Enquanto Eros é o deus do amor no sentido da força erótica e do desejo, *storge* é o amor familiar, sem atração física envolvida, e *ágape* se refere a um tipo de amor que se expande para toda a humanidade, em um sentido mais universal.

131 Aristóteles (384-322 a.C.) define a *eudaimonia* como uma espécie de **bem-estar** que inclui não apenas **viver bem**, mas também **fazer o bem**. Diz respeito, portanto, a uma sabedoria prática que envolve temperança, justiça e coragem e que desenvolve o caráter virtuoso.

com a ordem cósmica; ou ainda o constante flerte do que chamamos de agricultor sintrópico com a **ética das virtudes**, que foca o caráter e o comportamento habitual.

Pois bem, isso não é nada fortuito. Muitos discursos ecologistas, sem dúvida, bebem dessa fonte e parecem propor justamente uma atualização da ética de origem aristotélica. Defendem que essa seria uma ética mais ecológica, em contraposição à ética consequencialista (que prioriza os resultados) ou à deontologia (que trata o tema em termos de deveres). De fato, essa seria uma das formas de nos ajudar a respeitar a natureza, de assumir a responsabilidade da nossa civilização tecnológica e todo o seu consequente poder de destruição. Além disso, como a Grécia Antiga é considerada o berço da civilização ocidental, estaríamos diretamente conectados a essa tradição intelectual. Por outro lado, justamente por conta dessa herança, corremos o risco de estar apenas reproduzindo alguns pontos cegos, de modo que as soluções propostas dentro desse paradigma podem acabar sendo apenas variações de um mesmo tema, ou projeções de falhas fundamentais. Nosso pensamento tem ancestralidade. É importante conhecê-la para honrá-la. Mas honrar essa ancestralidade significa, sobretudo, darmo-nos conta de sua influência, seja para reproduzir seus efeitos, seja para romper com alguns contratos.

KANT EM GÖTSCH

Embora muitas das referências explícitas de Ernst Götsch remontem à Grécia Arcaica, para fundamentar sua filiação ética, Ernst transita da tradição mitológica para o idealismo racional de Immanuel Kant, em uma colagem pouco provável do ponto de vista das escolas de pensamento. Para orientar suas decisões enquanto agricultor, por exemplo, Ernst aciona o imperativo categórico kantiano, segundo o qual há que se agir de

> modo que as suas ações possam ser elevadas imediatamente a leis universais — ou seja, uma orientação ética intencionalista. Como livre pensador que é, Ernst associa essa orientação ética à máxima segundo a qual nem aos deuses do Olimpo seria facultado modificar as regras da natureza. É sempre importante lembrar que ética não é um conjunto de regras, mas sim algo anterior que orienta nossas condutas. Ética é dinâmica e existe na prática, na discussão em que os conceitos são atualizados e os comportamentos reavaliados. Seja consciente ou inconscientemente, estamos sempre informados por algum tipo de ética. Tanto melhor será quanto mais estivermos alertas a isso.

Uma herança que prescinde de testamento

Para conseguirmos responder à pergunta sobre qual seria nossa função dentro do sistema da vida (ou sobre como vamos fazer para não sermos expulsos desse sistema), teremos que investigar quando foi que nós passamos a nos ver à parte e em conflito com a natureza. Quando foi que isso começou? A definição desse ponto de ruptura é relevante, pois demonstra que diferentes perspectivas vão localizar em um momento absolutamente distinto da história quando foi que o ser humano se divorciou litigiosamente da natureza. Alguns irão rastrear a origem do problema na emergência do modo de produção capitalista, outros vão apontar o projeto da modernidade do século XVII como o marco definitivo, enquanto outros defendem que foi com o início da agricultura ou, ainda, com o surgimento da linguagem. O fato é que, para hoje entrarmos em acordo sobre como podemos nos integrar à natureza, talvez seja útil antes concordarmos sobre como, quando e por que nos desintegramos dela em primeiro lugar.

A civilização ocidental traz do berço uma filiação à sabedoria grega antiga. Por isso, como já dissemos, muito do discurso ambiental se ampara nessa tradição, com a intenção de resgatar dali o combate à arrogância humana, a celebração e o respeito a Gaia. No entanto, observando essa tradição mais de perto, é curioso observar que Gaia, a deusa que se refere ao planeta e à natureza, é diferente de Demeter, a deusa que se refere à agricultura. Gaia e Demeter são ambas importantes deidades do panteão grego, mas elas são entidades claramente distintas.

Na mitologia grega, Gaia é uma deusa primordial que, segundo a Teogonia de Hesíodo, representa a "Terra de amplo seio, de todos sede irresvalável sempre". Gaia é fonte de nutrição e proteção. É ela quem rege os processos naturais. Já Demeter está em um departamento completamente diferente do panteão, sendo a deusa que governa os grãos e que se ocupa dos campos cultivados. Os mitos mais conhecidos de Demeter demonstram que a deusa da agricultura só mantém relações com a deusa da natureza de forma indireta, ou mediada por outros personagens. A narrativa mais conhecida de Demeter é a que conta a história de sua filha, Perséfone, que passava metade do ano com sua mãe, trazendo alegria e fertilidade aos campos e, na outra metade, voltava ao submundo, ao qual estava ligada por conta de sua relação com Hades, deixando aqui em cima os campos frios, sem flores e sem produção. O mito representaria, portanto, os ciclos agrícolas adaptados às estações. Em parte do ano há frutificação e colheitas; em outra parte do ano, não. A segunda narrativa mais conhecida de Demeter é a que envolve Erisictão, um rei conhecido por desprezar os deuses. Nesse episódio, Erisictão invade um bosque consagrado à deusa Demeter para derrubar os carvalhos ali existentes. As ninfas que habitam aqueles carvalhos saem em busca de Demeter para pedir-lhe ajuda. Demeter prontamente atende ao chamado das ninfas da floresta e pune o ímpio rei com uma fome eterna que acaba por arruiná-lo completamente. Interessante observar que a deusa da agricultura tem na floresta seu santuário, mas não vive por lá. Nesse templo natural da deusa da agricultura há árvores de grande porte, que ela deixa a cargo de seres mágicos, as ninfas, já que ela mesma costuma estar longe dali. Outro ponto intrigante é que, quando a deusa da agricultura quer castigar alguém, ela lhe impõe a privação do alimento, a fome. Gaia, entretanto, não participa dos mitos de Demeter. Gaia é a natureza em seu fundamento. Demeter é a agricultura em seu fundamento. Cada uma no seu domínio. Separadas. Não somos especialistas em mitologia grega para afirmar nada categoricamente, mas essas referências são no mínimo curiosas para pensarmos há quanto tempo nós temos normalizado a cisão entre a agricultura e a natureza.

Corrobora a suspeita de que essa cisão já era uma realidade dada no imaginário grego o fato de que, na passagem da racionalidade mítica para a racionalidade filosófica, essa separação entre seres humanos e natureza ficou ainda mais acentuada. Ali nasceria algo que até hoje não só é presente como predominante na cultura ocidental, e que desempenhou um papel fundamental no nosso divórcio litigioso com a natureza: uma racionalidade abstrata intimamente ligada a uma identidade de domínio. Isso é o que nos explica Val Plumwood que, ao investigar o pensamento de Platão, encontrou ali as raízes de uma razão que se fundamenta na superioridade e na exclusão do diferente. Ou seja, quando os atributos mentais do homem são destacados para distingui-lo com louvor de todo o resto, fica estabelecida uma dualidade hierárquica entre ser humano e natureza. Essa distinção e superioridade é o que faria do ser humano um ser humano, na perspectiva grega clássica. Assim como essa diferença e inferioridade é o que faria da natureza a natureza. Nessa perspectiva, o cosmos é o caos da natureza ordenado pela racionalidade humana. A imposição de uma racionalidade subjugante é praticamente um dever moral, e assim os atributos do homem são saudados. Aliás, apenas dos homens, e apenas de alguns deles. No contexto grego, certamente, não das mulheres, nem dos escravos, muito menos dos animais, das plantas e dos minerais — todos estes estariam, na perspectiva platônica, congregados e homogeneizados em uma categoria excluída do ideal.

Com o estabelecimento dessa hierarquia de valores, fica difícil, portanto, conciliar alguma mirada ecocêntrica. Apenas com a tradição de pensamento de origem platônica não é possível ir até as últimas consequências com a ideia de que a natureza possui um valor intrínseco e não instrumental. Nessa tradição à qual somos tão apegados, forjava-se um projeto de ser humano cujos ecos se escutam até os dias de hoje em forma de valores e certezas muito pouco questionadas, porque são sistematicamente reiteradas e entremeadas nas mais diversas áreas da nossa vida. O que são os cálculos econômicos que consideram os fatores ambientais como externalidades de pouco ou nenhum valor, senão um efeito da propagação dessa mentalidade nos dias de hoje? Mais problemático ainda é quando encontramos esses efeitos também imiscuídos no próprio vocabulário ambiental. Ou não é sintomaticamente antropocêntrico o uso de termos tais como **recursos** naturais, **serviços** ecossistêmicos, **capital** natural,

estoque de peixes[132] etc.? Em todos esses casos fica exposto que o valor da natureza só pode ser mensurado quando traduzido pelos interesses humanos. Mesmo naquelas utilidades intangíveis, como o **valor da beleza cênica de uma paisagem** (para o qual também pode haver pagamento por serviços ambientais), a natureza continua sendo digna de respeito e preservação apenas, e exatamente, à medida que estiver à disposição do nosso deleite. Seja como fonte de alimento, matéria-prima ou como *playground*, o melhor que temos conseguido pleitear é o respeito a uma natureza que nos serve.

Esse ideal de ser humano superior e merecedor nasce na tradição platônico-aristotélica, mas ainda será potencializado pela tradição cristã racionalista e pelo cartesianismo racionalista. Nesse percurso, ao coro do dualismo homem *versus* natureza, juntam-se e reforçam-se outras oposições também hierárquicas: mente e corpo, espírito e matéria, cultura e natureza, homem e mulher, razão e emoção. De modo que o segundo polo de cada uma dessas dualidades foi sendo sistematicamente marginalizado, desvalorizado, perseguido e explorado. Ainda hoje, a estrutura central das formas dominantes de racionalidade mantém esse contexto de exclusão e de opressão. Renovando nossos préstimos a essa tradição, continuamos até hoje a considerar a natureza não humana como território ainda não reclamado, ou seja, aquilo que é diferente de cultura, onde é ausente o cultivo, onde não foram feitas melhorias ou como aquilo que é desprovido de agência. A natureza é vista como passiva e disponível à intervenção da razão. Nesse afastamento do mundo natural, também foram exilados os afetos e as

---

132 George Monbiot e Ralph Steadman apontam esse problema e sugerem a substituição por termos alternativos, tais como **sistemas vivos** e **sistemas de suporte à vida**, entre outros. — "Alternative words for environmental terms, offered by George Monbiot & Ralph Steadman". Disponível em: https://bit.ly/3q8rWoi.

contradições, mas ainda não nos demos conta do quão psicológica e emocionalmente desamparados ficamos por conta disso.

Convém admitir que houve algum avanço no outro sentido, já que, além de passível e disponível à exploração, antes a natureza era também considerada infindável. Hoje, com conceitos como o dos **limites planetários**[133], conseguimos ao menos dar conta de deixar claro que ilimitada ela não é. Mas esse pouco avanço na maturidade do nosso relacionamento com a natureza cobra sua fatura. Basta ver que, quando estamos diante dos indicadores dos limites planetários, não sabemos muito bem o que fazer. Controlar, vigiar e punir quem extrapole a faixa limite? Não... não saberíamos a quem seria seguro delegar essa tarefa. Criar novos mercados e transformar tudo em *commodities*? Não... temos apenas a fantasiosa mão invisível do mercado para abençoar essa iniciativa e, historicamente, podemos dizer que não há bons precedentes para que confiemos nessas saídas. A outra opção que se tem praticado é a de usar esses indicadores para alimentar manchetes catastróficas na mídia, mas elas têm criado apenas pânico ou angústia que levam muito mais à apatia do que à ação. Outro uso que temos dado a esses indicadores é ainda mais deprimente: criamos listas de desejos que nunca são cumpridas. Metas, objetivos e visões acordadas em gabinetes internacionais seguem fracassando solenemente em qualquer quesito de eficiência objetiva. O Plano Estratégico para a Biodiversidade[134] (Metas de Aichi) expirou em 2020 com

---

[133] Conceito que procura definir um espaço operacional seguro para a humanidade que garanta a manutenção dos principais processos biofísicos do sistema Terra. — ROCKSTRÖM, J., W. STEFFEN, K. N. et al. Planetary boundaries: exploring the safe operating space for humanity. *Ecology and Society*, v.14, n.2, 2009, p.32. Disponível em: https://bit.ly/3lbAb9q.

[134] CBD. *Global Biodiversity Outlook 5*. Secretariat of the Convention on Biological Diversity. Montreal, 2020.

nenhuma das suas 20 metas totalmente cumpridas, repetindo o fracasso de 2010 (prazo anterior). Exemplos como esse minam qualquer esperança de que possa vir a ser diferente com a visão acordada por governos mundiais de "Viver em Harmonia com a Natureza" até 2050. O que significa isso? O que tem sido feito nesse sentido? Uma coisa é certa: esses dados definitivamente servem para nos alertar que não temos tempo para perder com soluções superficiais. Para conseguirmos pensar sobre como vamos fazer para não sermos expulsos do sistema, teremos que repensar honesta e criticamente sobre os efeitos da nossa inação e sobre as consequências da nossa ação.

Quando pisamos no acelerador

Há enorme evidência científica[135] de que a ação da humanidade tem impactado os solos, as águas e as vidas do nosso planeta. Essas mudanças na biosfera, na litosfera e na atmosfera têm ameaçado, entre outras coisas, o fornecimento de água fresca, a disponibilidade de solos férteis e a estabilidade climática. Tudo isso acontece atualmente em uma escalada global. Ou seja, aspectos fundamentais para a existência humana estão em risco. O alerta se acendeu. Por conta disso, teóricos defendem que hoje vivemos em uma nova época geológica: o **Antropoceno**. Antes mesmo que se consolidasse como uma unanimidade no mundo acadêmico, o conceito caiu no gosto popular, dada sua capacidade de sumarizar a influência das atividades humanas

---

135 WILLIAMS, M.; ZALASIEWICZ, J.; HAFF, P. K, et al. The Anthropocene biosphere. *The Anthropocene Review*, v.2, n.3, 2015, p.196-219.

nos processos físicos, químicos e biológicos do sistema Terra. Tal qual as grandes glaciações ou a formação dos continentes e dos oceanos, agora somos nós os vetores da última mudança geológica.

O marco inicial dessa mudança de período é discutido por algumas hipóteses. Dentre as mais bem aceitas está a hipótese desenvolvida por um dos próprios pesquisadores que sugeriu o novo termo Antropoceno. Crutzen[136] defende que a Revolução Industrial, ou mais precisamente a invenção da máquina a vapor por James Watt em 1784, marcaria o início do novo período, uma vez que ali houve um expressivo aumento do uso de combustíveis fósseis e rápidas mudanças sociais.

Por outro lado, a hipótese da **grande aceleração**[137] também passa a ganhar força a partir da década de 1950, período que seria marcado pela expansão da população humana e pelo desenvolvimento de novos poluentes orgânicos persistentes e compostos inorgânicos.

Atualizações da discussão não ignoram as consequências políticas que tal definição pode trazer e, por isso, incorporam perspectivas socioeconômicas na análise. A intenção é não deixar que se diluam os traços das responsabilidades por esse impacto que devem ser atribuídas de forma proporcionalmente diferente entre, por exemplo, países colonizadores e países colonizados. Os custos são hoje compartilhados, mas os lucros nunca o foram.

O fato é que, em algum ponto dessa nossa história recente, começamos a acreditar que tudo podia ser medido, tudo podia ser

---

136 CRUTZEN, P. J. Geology of mankind. *Nature* v.415, n.23, 2002.

137 O termo **Grande Aceleração** foi usado pela primeira vez em um grupo de trabalho de uma Conferência Dahlem de 2005 que tratava da história do relacionamento humano-ambiente. — STEFFEN, W.; BRADGATE, W.; DEUTSCH, L.; GAFFNEY, O.; LUDWIG, C. The trajectory of the anthropocene: the great acceleration. *The Anthropocene Review*, v.16, 2015, p.1-18.

calculado e, em última instância, tudo podia ser gerido, controlado e dominado. Estamos falando do **projeto da modernidade** (século XVII), que definitivamente acentuou essa alienação da nossa espécie com relação a tudo o mais que existe. Àquela noção antiga de uma natureza que se apresentava de forma inanimada e passiva, somam-se concepções muito particulares de eficiência e progresso que nos impõem a quase obrigação de aperfeiçoar o controle da natureza e maximizar sua exploração. A imposição desse dever é amparada e alimentada pelo surgimento de uma nova ética: a **ética do trabalho**[138]. Essa atualização ética vai subsidiar a transição para valores de honra, disciplina e trabalho duro, com prioridades e fundamentos diferentes daqueles cultivados no período imediatamente anterior — o das sociedades medievais. Com a Reforma Protestante e o modo de produção capitalista emergente, o lucro e os juros deixam de configurar o pecado da usura e passam a ser mecanismos moralmente liberados. A prosperidade econômica começa a ser vista como o melhor exercício de dignidade. A aquisição de bens e a acumulação de capital se tornam indícios do mérito individual. Esse é o fundamento do pensamento que hoje sustenta as maiores distorções sociais e justifica enormes injustiças e violências estruturais. Para aqueles que acham que não participam dessa herança, ou que estão imunes a essa influência, fica o lembrete de que muito do que ainda hoje entendemos por administração de empresas, mundo dos negócios e até mesmo o trio "missão-visão-valores" ecoa esses princípios e, em alguma medida, reproduz essa subjetividade. A influência persistente desse pensamento em nossas percepções fica ainda mais representativa na atual fascinação pela tecnologia.

---

138 WEBER, M. *A ética protestante e o espírito do capitalismo*. São Paulo: Companhia das Letras, 2004.

Fé cega, tecnologia afiada

Existe uma tendência a entender a tecnologia simplesmente como o produto da nossa engenhosidade. Quando surge uma nova solução tecnológica, sua apresentação é sempre percebida como uma notícia alvissareira. Seria o resultado da inventividade humana e, literalmente, a salvação da lavoura. Quem ousa questionar esse monopólio das soluções atribuído à tecnologia é sumariamente ignorado ou tratado como antiquado e ultrapassado.

Como se fosse a própria materialização da nossa racionalidade e objetividade, o chamado "avanço tecnológico" é hoje, tanto quanto foi na virada do mundo medieval, a promessa de autonomia e liberdade. No entanto, a mesma mentalidade que nasce da ruptura com o subjugo religioso-inquisitório daquele período, de tanto encarar o obscurantismo feudal, ironicamente se vê engolida pelo mesmo abismo dogmático quando se agarra à tecnologia como seu mais fiável oráculo e porto seguro.

Nesse sentido, questionar essa fé cega na tecnologia nada tem a ver com a defesa de uma vida ermitã ou que negue as conquistas técnicas da nossa civilização. Mas tem, sim, muito a ver com a responsabilidade de desnaturalizar essa pretensa neutralidade da tecnologia. Nenhuma tecnologia surge do nada, nem mantém sua reprodução de forma independente, nem serve a um propósito aleatório. Quando falamos de tecnologia estamos falando de mecanismos de poder (históricos, políticos e econômicos), mas também estamos falando de mecanismos de crenças compartilhadas (que definem as prioridades), e estamos falando ainda sobre as bases materiais das quais qualquer aparato tecnológico se serve (extração de matéria-prima, fluxos de energia e resíduos)[139].

Na agricultura, essa convicção na saída tecnológica fica didaticamente evidente. Confia-se que a modificação e a edição genéticas serão a solução para os problemas de baixa produtividade ou suscetibilidade a doenças de nossos plantios. Aposta-se nas promessas das agriculturas de ambiente controlado, tais como as *indoor-farms*, para superar os impasses da imprevisibilidade climática e da falta de solo fértil causada pela nossa degradação. Não há acanhamento em partir para a dessalinização da água do mar quando a água doce disponível para o excesso de irrigação começa a faltar. Ou seja, investe-se pontual e sucessivamente na próxima solução tecnológica para toda e qualquer limitação, ainda que esta tenha sido criada por nós mesmos. A cada nova "descoberta tecnológica", uma celebração. A cada novo problema, seja o que desponta no horizonte, seja aquele que já nos come os calcanhares, surge uma nova demanda por novos produtos. Nós, humanos, sentamos e esperamos que a faca amolada da tecnologia garanta que continuemos a fazer exatamente aquilo que temos feito, ignorando em qual carne está sendo feito o corte.

Dando suporte a essa fé estão argumentos que sugerem uma associação imediata entre tecnologia, eficiência, produtividade e progresso. Mas a eficiência e a produtividade de muitas dessas soluções tecnológicas, quando observadas de perto, apresentam contradições bastante embaraçosas. Assim acontece, por exemplo, com algumas culturas geneticamente modificadas associadas ao uso de herbicidas, as quais têm sido constantemente desafiadas

---

[139] HEIDEGGER, M. *The question concerning technology (and other essays)*. Tradução para o inglês do original em alemão *Die Grage nach der Technik* (1949) por William Lovitt. Nova York: Harper & Row: 1977.

pelo aparecimento de novos agentes patológicos e pela resistência das ervas indesejadas. Acontece também com as agriculturas de ambiente controlado, que, diante dos altos custos de implantação, manutenção e logística, veem seu plano de negócios em uma encruzilhada: ou tendem à falência ou crescem e centralizam, perdendo assim, justamente, um de seus maiores apelos, que seria o da produção local. Nas *indoor-farms*, a necessidade de controle de luz, de temperatura e de umidade impõe uma impactante demanda energética ao processo. Ainda que proveniente de fontes mais limpas, no fim do mês e na ponta do lápis, os custos podem ultrapassar as vantagens. Esse desejo desesperado de encontrar uma saída que não imponha nenhuma mudança estrutural faz a visão ficar seletiva. Perdem-se de vista, por exemplo, os inúmeros impactos em ecossistemas terrestres e marítimos que resultam de operações de dessalinização de água do mar. Acreditar que uma solução tecnológica livrará a humanidade de qualquer problema de suprimento de água é muito mais confortável do que repensar nosso uso da água, ou pensar em reflorestamento, ou perceber que a sociedade civil tem que se organizar para evitar que interesses corporativos tomem conta de bens que deveriam ser comuns. Isso dá trabalho demais. Por isso, como humanidade, temos optado por flexionar nossos joelhos diante da promessa benevolente de emancipação via desenvolvimento tecnológico.

A tecnologia não é nem vilã nem mocinha por si só. Mas seria inocência de nossa parte ignorar que toda tecnologia depende de matérias-primas serem extraídas, apropriadas, transformadas e redistribuídas e que, nesse percurso, decisões nada técnicas são tomadas[140]. Quanto antes reconhecermos aquilo que move

---

[140] HORNBORG, A. Ecological economics, marxism, and technological progress: some explorations of the conceptual foundations of the theories of ecologically unequal exchange. *Ecological Economics Journal*, Sweden, v.105, 2014, p.11-8.

a tecnologia — ideologica e financeiramente, bem como os recursos ambientais dos quais ela depende —, tanto mais seremos capazes de discutir a serviço de que queremos que a tecnologia trabalhe em nossa sociedade, respeitando quais prioridades e admitindo quais custos. Senão nossas tecnologias seguirão sendo eficientes apenas na manutenção do nosso delírio de que podemos dominar todas as manifestações da vida no planeta (ou do delírio supremo de um punhado de concentradores de renda mundial que planejam sua fuga do planeta Terra). Precisamos desse questionamento para saber onde mirar nosso esforço tecnológico. Isso define não apenas as fontes de investimentos concretos, mas também os valores éticos e morais que abastecerão as futuras mentes inovadoras.

Na agricultura, fazer esses questionamentos sobre a tecnologia não significa voltar ao arado puxado por boi. Significa incorporar robôs, inteligência artificial e drones, desde que submetidos a uma reflexão sobre os propósitos aos quais eles devem servir. Qual tarefa vale a pena um robô realizar? Quais indicadores vale a pena uma I.A. monitorar? Em qual direção os drones devem expandir o nosso alcance? Do ponto de vista da Agricultura Sintrópica, todas essas ferramentas podem ser bem-vindas, desde que trabalhem a serviço da vida, e não contra ela. Historicamente, a agricultura testemunhou mudanças que afetaram a produção ou a organização agrícola. Mas a inovação na agricultura não precisa se restringir aos processos ou aos produtos. Há também um grande potencial para inovação quando a ênfase recai sobre a relação do ser humano com a natureza.[141]

---

[141] ANDRADE, D.; PASINI, F.; SCARANO, F. Syntropy and innovation in agriculture. *Current Opinion in Environmental Sustainability*, v.45, 2020, p.20-4.

Voltando aos rastros históricos da nossa herança não declarada, é importante lembrar que a racionalização da vida que vimos ser acentuada desde o século XVII procurava se opor a uma visão de mundo baseada em ritos, mitos e poderes anímicos. No lugar de uma interação que reservava uma certa reverência pelos mistérios da natureza, com a Modernidade estabeleceu-se o que Max Weber chama de **desencantamento do mundo** e **desenfeitiçamento da natureza**.

Hoje, diante do iminente colapso ambiental, vivemos uma série de crises das certezas[142]. Há quem fale em **crise ecológica da razão**[143]. Enquanto para uns a tecnologia é o braço prático da razão, para outros ela é o instrumento do ecocídio. É nesse propício cenário, portanto, que vemos o resgate das diversas sabedorias ancestrais, na esperança de ali encontrarmos o antídoto para o nosso desencantamento, e cuja administração pudesse nos levar à superação de muitas de nossas enfermidades. As sugestões de posologia desse "remédio" são variadas. Por vezes é em conta-gotas, quando acontece um resgate de tradições de forma diluída, apenas a título de inspiração. Noutras vezes, a abordagem terapêutica é mais radical, como se quisesse incorporar antigas tradições direto na veia. A proposta nesses casos é de ruptura total, negação da trajetória moderna e vida alternativa.

Para espreitarmos o que se vê a partir desses ângulos, vamos voltar ao tema do amor. Primeiro porque, em tempos desafiadores, amor nunca é demais. Segundo, porque existe uma outra forma de amar da qual ainda não falamos.

---

142 SARDAR, Z. Welcome to Postnormal Times. *Futures*, v.42, n.5, 2010, p.0-444.
143 PLUMWOOD, V. *Environmental culture: the ecological crisis of reason*. London and New York: Routledge, 2002.

Mais uma vez, amor

O amor, tal qual expresso por Ernst Götsch quando se refere ao seu entendimento do "funcionamento do macro-organismo", parece ser uma espécie de amor que carrega consigo um respeito e uma certa reverência pelo mundo natural. Povos ancestrais das mais diferentes origens nos falam justamente sobre um entendimento da natureza como fonte de um valor supremo, digna de admiração em todos os seus mistérios e com a qual devemos nos relacionar a partir de uma perspectiva humilde, respeitosa e prudente. Por muito tempo silenciados pela história oficial contada sob a perspectiva do conquistador, só recentemente parece haver um movimento mais amplo de resgate sistemático dessas outras sabedorias. Nelas encontramos desenvolvidas precisamente aquelas sensibilidades que fomos treinados para excluir ou desconsiderar em nossa formação. Não por acaso, encontramos ali um tipo de amor que deixamos de praticar. Um amor que convoca o sagrado e que percebe uma dimensão espiritual nas relações e, portanto, na natureza.

Apesar da imensa variedade de tradições ancestrais, ao que tudo indica, em muitas delas encontra-se exatamente a superação da dualidade homem *versus* natureza, de cujas consequências adversas somos, ao mesmo tempo, vítimas e algozes — como tratamos anteriormente. Proliferam exemplos de povos que percebem e vivenciam essa valorização da natureza sem nem precisar fazer dela uma abstração (ou justamente por não precisar fazê-lo). Ou seja, se só há o natural, nada existe que lhe seja externo; nem mesmo nós, os seres humanos. O que muitos praticam é aquilo que chamamos de **animismo**, o entendimento segundo o qual não há separação entre mundo físico e mundo imaterial.

No animismo, aquilo que anima, ou que dá vida aos seres humanos, também está presente nos animais, nas plantas, nos minerais, nos ventos, na chuva, nos rios, nas montanhas etc. Teóricos da **ecologia profunda** não perdem a oportunidade de apontar que, uma vez superada nossa presunção de superioridade com relação àquilo que pejorativamente rotulamos como primitivo, poderíamos olhar para o animismo como uma importante contribuição para repensarmos nossas práticas destrutivas. "Pense como uma montanha"[144], é o que sugerem para exercitarmos uma postura que, em vez de ter como ponto de partida o ser humano (antropocêntrica), adotaria o ponto de vista do ecossistema (ecocêntrica). Uma proposta aparentemente simples, mas com desdobramentos poderosos, uma vez que pode nos levar, inclusive, ao questionamento daquilo que entendemos por **justiça**.

Imagine se um touro de vaquejadas pudesse exigir respeito à sua dignidade. Ou se uma montanha pudesse processar a mineradora que lhe consome as entranhas. Ou se um rio pudesse reivindicar seus direitos de correr livre e limpo, sem barragens. Uma visão ecocêntrica aplicada ao direito significa entender que todos esses entes são titulares de direitos. São sujeitos e não mais objetos. E, se são sujeitos, merecem o mesmo tratamento concedido aos sujeitos humanos, tais como a garantia de ter sua existência e dignidade resguardadas.

Hoje, em sua maioria, as legislações ambientais dispõem apenas de mecanismos de compensação e indenização para lidar com danos depois que estes já foram causados. Se de fato houvesse o reconhecimento de animais ou rios como entes de direito, isso daria amparo para uma reinterpretação da legislação.

---

[144] Expressão cunhada em 1949 por Aldo Leopold em seu livro *A Sand County Almanac* e que foi uma importante inspiração para os teóricos da ecologia profunda, inaugurada pelo norueguês Arne Naess no início da década de 1970.

Em vez de só termos recursos para atuar nas consequências dos danos ambientais, teríamos uma legislação capaz de atuar na prevenção, com a prerrogativa, inclusive, de responsabilizar tanto a ação quanto a omissão. Por enquanto, não fazer nada para evitar um dano ambiental não costuma ser uma responsabilidade imputável. Ninguém é culpado por isso. Agora imagine como agiriam governos e grandes empresas se pudessem ser acusados de omissão?[145]

Outro efeito importante de uma visão ecocêntrica aplicada ao direito seria a possibilidade de se exigir a reparação integral dos danos. Diante disso, um requisito essencial para a autorização ou não de alguma atividade seria a garantia de que as condições iniciais do ambiente atingido por aquela atividade pudessem ser integralmente restabelecidas. Imagine essa lógica aplicada às áreas agrícolas. Imagine como seria se nenhum solo pudesse ser abandonado sem que suas porções física, química e biológica fossem recuperadas até o patamar de fertilidade anterior ao início da atividade. Imagine se uma irrigação só pudesse ser feita se não impusesse uma irreversível transposição de rio ou o esgotamento de lençóis freáticos. Essas proposições só parecerão absurdas para aqueles que ainda acreditam que os seres humanos são o pináculo da criação e que desfrutam de alguma prioridade sobre todas as outras existências. Do ponto de vista do ecossistema, não apenas há uma total interdependência entre todas as formas de vida como também uma convivência intercambiável entre estas e os sistemas abióticos. Os efeitos do pensamento

---

[145] Em 2016, em uma exemplar indicação da tendência de superação do paradigma antropocêntrico, a Corte Constitucional Colombiana não só atribuiu personalidade jurídica ao rio Atrato como também impôs sanções ao poder público em razão da omissão quanto à degradação que lhe foi causada por uma empresa. — CÂMARA, A. S.; FERNANDES, M. M. O reconhecimento jurídico do rio Atrato como sujeito de direitos: reflexões sobre a mudança de paradigma nas relações entre o ser humano e a natureza. *Revista de Estudos e Pesquisas sobre as Américas*, v.12, n.1, 2018.

ecocêntrico na revisão de muitas de nossas instituições têm um potencial ainda a ser experimentado, desde que — nunca é demais relembrar — seja mantido o alerta eterno contra o sequestro dessas pautas por autoritarismos políticos, discursos xenófobos ou eugênicos.

Quando falamos de justiça estamos também falando de liberdade. Se formos parar para pensar de forma honesta, a única liberdade que atualmente temos exercido é a liberdade de usarmos os frutos do macro-organismo Terra sem prestarmos contas disso, nem para os outros coabitantes nem para as futuras gerações. Quer dizer, se não respeitamos nem nossos próprios filhos, a quem estamos deixando dívidas ambientais como herança, imagine uma erva que parece invadir nossa plantação, ou um microrganismo do solo que nem vemos, ou um futuro a longo prazo não previsto na planilha contábil. A única liberdade que temos praticado parece ser a liberdade de fazer escolhas equivocadas. Nesse sentido, o exercício de pensar como uma montanha pode nos ajudar a sair desse transe.

O direito ecológico é um bom exemplo de como esse exercício de olhar para outras formas de viver pode ter consequências práticas que nos oferecem importantes saídas[146]. Mas nem sempre é assim. Da inspiração à concretização da prática há um longo trecho a ser percorrido. No meio desse caminho, há sempre o risco de que concessões nos desviem do destino almejado originalmente. A inspiração a partir de outras cosmologias pode

---

[146] Além do rio Atrato, na Colômbia, há outros exemplos de entes naturais que tiveram sua personalidade jurídica reconhecida, tais como: o rio Vilcabamba no Equador (2011); a Amazônia colombiana (2018); a região montanhosa Te Urewera e o rio Te Awa Tupua na Nova Zelândia (2014 e 2017, respectivamente) e o rio Yarra, na Austrália (2017). — BERTOLDI, M. R.; SILVA, R. F. Direitos da natureza e acesso à justiça: a ampliação dos atores legitimados em ações coletivas para uma justiça socioambiental. *Revista Direito em Debate — Departamento de Ciências Jurídicas e Sociais da Unijuí*, v.XXIX, n.53, 2020, p.118-31.

ser o primeiro passo para uma grande transformação, mas ela também pode se perder em si mesma, apenas como uma experiência de identidade. Essa é uma crítica possível de ser feita às propostas de vidas alternativas, sejam elas individuais ou em pequenos grupos. O risco que se corre aqui é o de depender da manutenção justamente das condições criticadas para conseguir manter uma identidade que lhes seja contrária. Ou seja, se houvesse uma mudança na sociedade de maneira mais ampla e disseminada, os indivíduos comprometidos com uma proposta alternativa deixariam de ser exatamente aquilo que mais se orgulham de ser: alternativos. Nesse sentido, parece não haver muito esforço em promover mudanças, apenas uma atitude de despeito com o que está posto. Há quem entenda que qualquer mudança começa no indivíduo e que o conjunto de revoluções pessoais irá compor a nova era. Até hoje isso não aconteceu, o que levanta a suspeita de que essa proposta possa estar vacilando ao não perceber que dentro do *status quo* está prevista inclusive a sua existência, alternativa e controlada.

Proliferam exemplos de boas iniciativas que acabam, aos poucos, sendo cooptadas e canibalizadas pelo próprio sistema ao qual procuravam se opor. Há mudanças que não podem ser compradas em *kits* mensais de clubes privados, mesmo que estes sejam entregues de bicicleta, mesmo que venham em embalagem compostável, mesmo que prometam plantar uma árvore em algum lugar, lá longe. É preciso estar atento para que isso não ocorra com as melhores intenções de resgate de sabedorias ancestrais. No caso das cosmologias indígenas, também é preciso estar vigilante para não se cair no erro de extrair uma ideia tal qual uma matéria-prima e processá-la fora de seus contextos originais. Há quem chame isso de **neocolonialismo epistêmico** ou

extrativismo intelectual[147]. Além da violação que isso representa (mais uma, aliás, infligida a esses povos), perde-se justamente o potencial transformador dessas ideias.

Em vez de nos satisfazermos apenas com uma inspiração superficial e sem nos iludirmos com uma incorporação forçada de outras cosmologias, poderíamos antes ouvir. Ouvir é uma atitude que requer profundo respeito. E respeitar também é amar. Eis mais um exercício de amor que definitivamente precisamos colocar no nosso programa de treinamento e reabilitação.

Ouvir outras vozes

Se pararmos para ouvir os povos indígenas da região norte da Amazônia brasileira teremos, por exemplo, a oportunidade de conhecer um sistema de classificação de plantas e animais muito diferente do nosso. O sistema científico ao qual estamos acostumados nomeia e classifica baseado no conceito de espécie, com a principal atenção dedicada à forma e à estrutura. O que os povos da bacia do rio Negro nos ensinam é um tipo de classificação que também se refere aos aspectos físicos das plantas, mas que comunica ainda seus usos, suas origens e suas relações ecológicas. Assim, o nome de um peixe pode informar sobre suas características físicas, mas também sobre quando pescá-lo e, sobretudo, quando não pescá-lo. O nome de uma planta pode revelar como é sua folha, sua flor e seu fruto, mas também

---

147 KLEIN, N. *Dancing the world into being: a conversation with Idle No More's Leanne Simpson*. 2013. Disponível em: https://bit.ly/3i9T1TD.

pode compartilhar a informação de que tal planta ajuda a controlar a febre de doenças relacionadas com o fígado.

Vejamos o exemplo da erva denominada ***Tangarakaá***[148]. Essa palavra indígena de origem Tupi é composta por: ***tang***, que significa "fresca"; ***araá***, que quer dizer "doença do fígado que produz febre"; e ***kaá***, "erva". Ou seja, a partir de seu nome sabemos imediatamente que é uma erva que serve para combater os males do fígado. Já na nossa nomenclatura científica, essa mesma planta se chama **Boerhavia hirsuta Jacq.**, um nome que é composto: pelo sobrenome do botânico holandês Herman Boerhaave; por ***hirsuta***, que significa "peludo" em latim; e finaliza com Jacq., que se refere a outro holandês, Nikolaus Joseph Freiherr von Jacquin, descritor botânico dessa variedade. Ou seja, a partir desse nome sabemos que essa planta tem pelugem em alguma parte e somos informados que seu batismo serviu para homenagear dois homens. Para qualquer um que estivesse com febre e passando mal do fígado no meio da floresta, esse sistema de classificação soaria no mínimo bastante primitivo.

Tangarakaá é um exemplo de como o conhecimento de povos originários carrega consigo uma percepção de mundo que os capacita a preservar a biodiversidade, especializa-os no manejo de ecossistemas, habilita-os a reconhecer as interdependências naturais e, especialmente, prepara-os para o compartilhamento e a transmissão oral de todo esse arcabouço de conhecimento.

Na sociedade moderna, para tratar da classificação botânica, dos usos médicos, das interações ecológicas e de como guardar e transmitir conhecimento, precisaríamos no mínimo de uma equipe multidisciplinar de especialistas. Mas juntar esse grupo

---

148 BARBOSA, R. J. *Mbaé kaá tapyiyeta enoyndua ou a botânica e a nomenclatura indígena*. Rio de Janeiro: Imprensa Nacional, 1905.

ainda não seria o suficiente. Precisaríamos ainda fazê-los se comunicar sem os jargões de cada área e precisaríamos ensiná-los a cooperar entre si, sem competir, nem pelos financiamentos da pesquisa nem pelo prestígio da autoria de alguma publicação. Os filhos dos nossos especialistas não acessam o conhecimento de seus pais, a não ser quando já são adultos e desde que sigam os mesmos passos. Enquanto isso, o indígena que faz a flecha e pesca o peixe também ensina a seu filho sobre como estar e interagir no mundo, além de lhe passar uma memória coletiva que instrui, acolhe e dá propósito. A diferença é imensa.

Certamente poderíamos aprender muito, e em muitas dimensões, com essas tradições. Poderíamos, por exemplo, buscar compreender o fato de os povos originários do Brasil nos explicarem que não defendem a floresta Amazônica como algo que lhes pertence, nem como algo que lhes é alheio. Eles defendem a floresta porque eles próprios são a floresta. Ou seja, não há ali fronteiras. Há uma integração da qual nossa linguagem mal dá conta de expressar adequadamente. Por isso é preciso ouvi-los. Ouvi-los, sempre atentos às nossas limitações.

Reconhecer de onde partimos

Quando nós, ocidentais modernos, olhamos para aqueles saberes dos mais variados povos originários, conseguimos vagamente identificar partes daquele conjunto como "saberes sobre as relações ecológicas", "usos de ervas medicinais" ou "manejo sustentável de recursos". Mas esses são termos do nosso paradigma, não do deles — e não necessariamente fazem jus ao que pretendem explicar. Isso é o que vemos ali e reconhecemos aqui um paralelo no nosso modo de viver. Temos um nome para aquilo e logo o empregamos, sem perceber o quanto podemos estar mutilando a ideia original. Para povos que interagem com o ambiente a partir de uma mirada do sagrado, talvez não faça o menor sentido falar em "usos de ervas". O sagrado se acessa via cerimônias, não via uso. Da mesma forma, talvez não tenha lógica falar em "relações ecológicas" como se estas fossem alheias, se para algumas cosmologias não há um observador que seja externo. Pode ser também uma cruel redução chamar de "manejo sustentável" todo um conjunto de valores e memórias ancestrais que orientam a maneira como esses povos transitam pela vida. Muitas vezes usamos essas abordagens com a boa intenção de destacar o valor daquelas tradições, mas a única coisa que conseguimos fazer é tratar o tema de uma maneira menos pior do que quando as classificamos como manifestações folclóricas ou quando lhes concedemos nossa mera condescendência. Reconhecer que nosso ponto de partida costuma ser contaminado por uma arrogância intrínseca e por diversos pontos cegos é um começo ao menos mais honesto.

Por trás daqueles saberes há percepções de mundo muito particulares. Muitos deles contam a história do surgimento do humano a partir de árvores, por exemplo, ou negociam com os habitantes invisíveis dos domínios da água, da terra, da floresta e do ar, para trocar vitalidade e garantir o equilíbrio do cosmo. Alguns dividem o tempo entre sagrado e secular, enquanto outros nem consideram as categorias de passado e futuro[149]. Ou seja, a maneira de perceberem e de atuarem no mundo está intimamente

---

149 Na língua e na cultura Amondawa (Tupi Kawahib) da Amazônia há exemplo disso. — SINHA, V. S.; ZINKEN, J.; SAMPAIO, W.; SINHA, C. When time is not space: The social and linguistic construction of time intervals and temporal event relations in an Amazonian culture. *Language and Cognition*, v.3, n.1, 2011, p.137-69.

relacionada com suas cosmologias. Estas, por sua vez, articulam modos de vida específicos que encontram pouca ou nenhuma correspondência com a experiência da cultura contemporânea hoje hegemônica. Apesar da ideia de uma chamada "civilização global" ser uma generalização que negligencia a multiplicidade de identidades que nos compõem, aspectos de uma subjetividade que perpassa a civilização ocidental impõem obstáculos à nossa capacidade de acessar e reproduzir aquele encantamento de forma genuína. Por respeito a essas tradições, não podemos achar que a escolha de reproduzir esses modos de vida nos esteja facilmente disponível.

O que temos em nossas mãos é mais uma responsabilidade do que um direito. Cabe-nos encontrar novas formas de pensar e agir que, inclusive, garantam que esses povos continuem vivendo da maneira que escolherem viver (e não como nós achamos que deveriam viver). Temos que garantir isso não por romantismo, nem por paternalismo, mas simplesmente porque temos com os povos originários, e com todas as outras maiorias minorizadas, uma dívida histórica imensa. Assumir as limitações e os passivos da civilização imperialista ocidental da qual descendemos parece ser, ao menos, um começo mais justo. Também convém fazermo-nos algumas perguntas: como é que somos capazes de, ao mesmo tempo, usar a medicina sagrada dos povos amazônicos e não combater a mineração que envenena aqueles rios e aquelas pessoas? Com que cara nos apropriamos das práticas xamânicas e não agimos contra a grilagem e a favor da demarcação de terras indígenas? Talvez com o mesmo descaramento com que pedimos a bênção de orixás, mas nos isentamos na luta antirracista. Contradições cujas implicações não poderemos mascarar por muito tempo.

Reconhecer nossos pontos cegos pode contribuir para uma aproximação respeitosa capaz de criar as condições para que uma conversa verdadeira se estabeleça. Uma conversa é uma troca na qual os critérios de validade do que o outro tem a dizer são reconhecidos e aceitos. Do contrário, seguiremos submetendo boas ideias a processos exaustivos de pasteurização e esvaziamento. O que tem acontecido com o conceito de **Buen Vivir** dos povos andinos é um exemplo disso. É como se nos apropriássemos de uma ideia cheia de potência, mas antes de apresentá-la publicamente a forçássemos dentro de uma roupagem que seja mais agradável aos olhos da nossa sociedade.

BUEN VIVIR

O *Buen Vivir* dos povos andinos pode servir como um exemplo dos riscos de diluição e enfraquecimento pelos quais um conceito originalmente poderoso pode passar. Pesquisadores como Cuestas-Caza*, Cubillo-Guevara e Hidalgo-Capitán** rastreiam desde a origem do termo na língua Kichwa até os usos que atualmente lhe têm sido dados. Com base em revisão bibliográfica e pesquisa etnográfica, os pesquisadores identificaram três tipos de abordagem do conceito de *Buen Vivir*: a socialista-estatista, a pós-desenvolvimentista e a cultural-indígena. Os dois primeiros usos seriam os mais conhecidos: 1) o uso socialista-estatista, cujas referências principais são a Constituição da República do Equador de 2008 e a Constituição do Estado Plurinacional da Bolívia de 2009; e 2) o uso pós-desenvolvimentista, cujo discurso tem aproximado o *Buen Vivir* do conceito de decrescimento (*Degrowth*). Críticos de ambas as abordagens sugerem que, nesse movimento de internacionalização e de apropriação política, o conceito se afastou muito de sua matriz original e isso pode representar até mesmo um neocolonialismo epistêmico ou extrativismo cognitivo, já que fala sobre as populações andinas (ou, pior ainda, fala em nome delas) a partir dos parâmetros da ciência ocidental, ou seja, sem possuir qualquer legitimidade para isso. Dessa forma, a abordagem cultural-indígena seria aquela entendida como a mais próxima dos sentidos originalmente dados ao conceito, porque está intimamente relacionada com as filosofias de vida de tradição andina. Inclusive, para uma série de autores, o *Buen Vivir* equivaleria mais ao termo Kichwa *Alli Kawsay* (Vida Boa) do que ao termo *Sumak Kawsay* (Vida em Plenitude), do qual geralmente é considerado sinônimo. A diferença não estaria apenas em um preciosismo linguístico, mas no desperdício do potencial original do conceito de propor reflexões sobre modos de existência distintos que se estabelecem em torno de relações simbólicas de comunidade, reciprocidade, complementaridade e ciclicidade entre todos os seres, na ordenação familiar (*ayllu*), comunitária (*llakta*) e na relação com o planeta (*Pacha*). Sem essa devida consideração, corre-se o risco da simples pasteurização, tanto do *Buen Vivir* como de muitos outros termos, derivados de outras matrizes civilizacionais, que têm o potencial de oferecer uma perspectiva crítica e decolonial aos modelos atualmente hegemônicos. Exemplos, dentre muitos, seriam: *Ñande Reko* das comunidades Guaranis (América do Sul); *Balu Wala* das comunidades Kuna (América Central); *Kyme Mogen* dos Mapuches (Chile); *Laman Laka* dos Miskito (Nicarágua); *Hurai* dos povos Tuvanos (Sibéria); *Mino Bimaadiziwin* dos povos Anishinaabe (Canadá, Estados Unidos); e *Ubuntu* dos povos de línguas angunes (África Sub-saariana).

* CUESTAS-CAZA, J. Sumak Kawsay is not Buen Vivir. *Alternautas*, v.5, n.1, 2018, p.51-66.

** CUBILLO-GUEVARA, A.; HIDALGO-CAPITÁN, A.; DOMÍNGUEZ, J. El pensamiento sobre el Buen Vivir. Entre el indigenismo, el socialismo y el posdesarrollismo. *Reforma y Democracia*, v.60, 2014. p.27-58.

O que nos move e o que nos comove

Desde o começo deste livro temos tentado refletir sobre como nós vemos a natureza, sobre o que entendemos que a natureza quer ser e sobre como conseguiremos realmente lhe dar valor. Procuramos demonstrar que nessas questões não há consenso, mesmo onde parece haver. Mas não para por aí. Ainda que cheguemos a um acordo sobre o que é a natureza, será preciso discutir o que faremos com essa informação. Pois podemos entrar de cabeça em uma floresta, entender sua estrutura, seu funcionamento e suas dinâmicas, mas, ainda assim, precisaremos saber o que fazer uma vez lá dentro.

Depois de reconhecer os limites e os vícios do modelo predominante de pensamento, e uma vez que nós — civilização moderna — nos descobrimos desencantados, talvez seja o momento de investigarmos o que nos dá potência de vida ou onde encontramos propósito. Cada um pode chamar como melhor lhe convier conforme suas referências, mas o que importa saber é o que nos move e o que nos comove. O que nos afeta, enternece ou perturba é também aquilo que nos abala e, sobretudo, o que nos faz abalar daqui para ali. O que nos tira da inércia. O que nos faz sair da intenção e chegar à ação.

Até aqui, como sociedade, temos investido bastante em nosso desenvolvimento tecnológico e não muito em nosso desenvolvimento humano. Conseguimos mandar sondas para outros planetas, mas aqui na Terra seguimos feito crianças desamparadas espernando no chão do supermercado, sem saber lidar com nossas angústias, com nossas carências, com nossas frustrações.

Para satisfazer nossa humanidade, temos apenas opções de compra em prateleiras ou carrinhos virtuais, sem nos darmos conta de que, cada vez mais, nós nos tornamos a própria mercadoria.

Já passa da hora de recrutarmos aquelas partes que tentamos silenciar com a hiperinflação da racionalidade analítica. Partes de nós que foram julgadas ilegítimas e que, tal qual acontecia nos mitos medievais com as crianças indesejadas, tentamos abandonar ao relento para que morressem de inanição e frio, ou para que fossem magicamente carregadas para bem longe. Mal sabíamos, no entanto, que éramos indivisíveis. De lá para cá, carregamos essas nossas partes atrofiadas, enferrujadas pelo pouco uso, mas que ainda nos constituem. Sofremos as dores de uma apendicite emocional. Tal qual o apêndice, que por muito tempo foi entendido como um acessório atrofiado do sistema digestório, e que parecia só servir para inflamar, cometemos o equívoco de acreditar que aquilo que negligenciamos na evolução cultural do ser humano moderno era uma parte inútil que poderia ser cirurgicamente removida sem grandes consequências. Hoje, se o apêndice tem tido sua importância novamente reconhecida, da mesma forma poderemos reativar nossos fragmentos esquecidos para que eles nos ajudem a digerir emoções complexas e conflituosas que, invariavelmente, fazem parte da nossa contraditória experiência de existência. A empreitada é grande. Não podemos prescindir de nenhuma de nossas partes.

Diante do colapso ambiental a necessidade de agir se impõe. Somos desafiados não apenas a agir, como também a agir coletivamente e a encontrar formas de cooperar a nível mundial. Somos chamados a desenvolver redes fundamentadas em confiança, compromisso, cuidado, respeito, conhecimento e responsabilidade. Vale frisar estes atributos: confiança, compromisso, cuidado, respeito, conhecimento e responsabilidade. Nenhuma surpresa nos causa encontrar exatamente essa mesma fundamentação nas mais promissoras definições de... amor.

Para Humberto Maturana[150], o amor é a emoção central presente na história evolutiva que nos dá origem. Para esse autor, toda ação humana depende de uma emoção que a conceba. Sendo o amor a emoção que reconhece o outro como um legítimo outro, é o amor que fundamenta o social. Seria, portanto, no entrelaçamento "entre o emocionar e o agir" que se dá o convívio na cooperação.

Por caminhos diferentes, chegam a conclusões semelhantes os pesquisadores Ulisse Di Corpo e Antonella Vannini[151]. Para eles, o amor estaria de acordo com a lei que domina a vida, que é a lei da cooperação e da diferenciação. O alinhamento com essa tendência da vida seria aquilo que nos dá propósito, que nos proporciona entusiasmo e nos orienta à ação na direção de objetivos maiores.

Para pensadores que estudam e falam sobre o amor para além dos estereótipos românticos, o amor seria a vontade deliberada de nutrir o crescimento espiritual (próprio ou do outro) revelada por meio de atos de confiança, compromisso, cuidado, respeito, conhecimento e responsabilidade. No contexto das relações interpessoais, para bell hooks[152] o amor se contrapõe ao cinismo. Enquanto o cinismo está enraizado na dúvida que se intensifica pelo medo e leva à paralisia, o amor é alimentado e alimenta uma força que agrega, intensifica, fortalece e está fundamentalmente baseada na escolha e na ação. Nesse sentido, o amor é uma força ativa que deve nos levar a uma maior comunhão com o mundo.

---

150 MATURANA, H. R. *Emoções e linguagem na educação e na política*. Belo Horizonte: UFMG, 1998.

151 DI CORPO, U.; VANNINI, A. *An introduction to syntropy*. Amazon Digital Services LLC — Kdp Print Us, 2017.

152 Pseudônimo de Gloria Jean Watkins, propositalmente escrito em letras minúsculas para fazer lembrar que o foco central é a substância de sua escrita e não sua personalidade.

Podemos imaginar o que representaria a potência desse tipo de amor aplicado às nossas atitudes ambientais.

Enquanto o amor nutre e cuida, o que é contrário ao amor se manifesta na forma de exploração e negligência. Sem amor, as relações são regidas pela coerção e pelas dinâmicas de poder. Quando não há amor, um dos lados da relação manipula e faz uso de força para conquistar aquilo que quer. Sem amor, o que importa é conseguir que o outro lado faça e seja aquilo que você deseja, mesmo que isso signifique ir contra tudo que o outro quer fazer ou deseja ser. A crueldade desse ato pode estar disfarçada por palavras de ternura que evocam lealdade e fazem de tudo para que isso pareça ser amor. Em situações-limite, exige-se resignação diante do terror, sob argumentos de necessidade. Quando isso acontece entre pessoas, nós chamamos de relacionamento abusivo. Quando acontece na relação entre seres humanos e natureza, nós chamados de agricultura ou de sistema produtivo de alimentos.

Exige esforço de nossa parte se quisermos aprender a nos amar uns aos outros de forma não abusiva, não bloqueada pelo medo, não regulada pelo preconceito e sem dinâmicas perniciosas de submissão. Exige decisão e força de vontade se quisermos criar relações mais saudáveis, respeitosas e nutritivas. Vale a reflexão de que, se não conseguimos fazer isso dentro da nossa própria espécie, não era de se estranhar que encontraríamos dificuldade em fazer isso com todas as outras manifestações da vida.

A boa notícia é que justamente esses "outros" — as outras espécies, os "outros" ciclos biogeoquímicos, os "outros" ecossistemas — são professores generosos na hora de ensinar a arte de amar. Estão todos prontos para compartilhar conosco esse conhecimento, essa prática e essa força. Quando nos dermos conta disso, vamos perceber que abraçar uma árvore pode ser muito bacana, mas muito mais potente é plantar e cuidar de uma árvore. Amor é fundamentalmente ação. É no fazer que esses professores nos ensinam tudo o que sabem. Por isso, não nos ocorre caminho mais gentil no qual darmos os primeiros passos nesse programa de reabilitação do amor do que no fazer da agricultura. Plantar, cuidar, nutrir e ser nutrido. Ter compromisso e responsabilidade, seja com sua horta ou com seus muitos hectares. Em tempos de amores líquidos, plantar é um compromisso de constância, um voto de confiança e uma expressão de liberdade. Está tudo aqui, neste planeta, pronto para nos ensinar. O único pré-requisito para sermos admitidos nessa escola é que façamos a escolha pelo amor. Essa decisão está na nossa mão.

ANEXO 1:

Para que inventar outro nome?

Desde quando a agricultura desenvolvida e praticada por Ernst Götsch passou a ser referida pelo nome de Agricultura Sintrópica, fomos confrontados por esta pergunta: para que inventar outro nome? O questionamento é legítimo, até porque já existem tantos termos por aí que o surgimento de mais um precisava ser justificado. Os motivos conceituais por trás desse nome já foram tratados nas seções anteriores. Agora compartilhamos com vocês um pouco da história que antecedeu o batismo da Agricultura Sintrópica, pois este relato ajuda a explicar o porquê de seu surgimento, ao mesmo tempo que situa essa agricultura no universo de tantas outras agriculturas de bases ecológicas.

Acreditamos que as distinções, das quais trataremos a seguir, importam na medida em que contribuem para o aprimoramento mútuo e desde que superem a simples disputa por nicho de mercado. Atualmente, 4,9 bilhões de hectares no mundo são ocupados por algum tipo de agricultura[153]. Tanto melhor será, portanto, quanto mais fortalecido estiver o diálogo entre as diversas vertentes de agriculturas capazes de oferecer alternativas ao modelo industrial/convencional.

Agrofloresta e agroecologia

Na nossa trajetória, o dilema de um novo nome para descrever a agricultura desenvolvida e praticada por Ernst Götsch se impôs em 2011, quando começamos a idealizar o **Projeto Agenda Götsch**[154]. No primeiro website que desenvolvemos, o subtítulo

---

[153] FOLEY, J. A.; RAMANKUTTY, N.; BRAUMAN, K. A. et al. Solutions for a cultivated planet. *Nature*, v.478, n.7369, 2011, p.337-42.

[154] Projeto voluntário de registro audiovisual da implantação e do manejo de áreas agrícolas segundo

explicativo que adotamos era **sistemas agroflorestais sucessionais**. Eram nossa referência, até aquele momento, as pesquisas acadêmicas sobre o trabalho de Ernst Götsch que haviam sido desenvolvidas principalmente na década de 1990 e início dos anos 2000. Em sua maioria, essas pesquisas foram feitas a partir de estudos de caso de plantios realizados em regiões tropicais e enquadravam aquela agricultura como uma prática agroflorestal. Sendo **agrofloresta**, por definição, um sistema de uso da terra que inclui espécies lenhosas em consórcios com espécies anuais, não havia, portanto, nome mais adequado que aquele para designar os policultivos de Ernst Götsch. Principalmente para os sistemas de plantios que Ernst projetou para ecossistemas tropicais e subtropicais que, em sua expressão natural e original, seriam florestas. O conceito de agrofloresta, no entanto, é bastante amplo e permite a inclusão, nessa mesma categoria, desde policultivos altamente biodiversos até simples consórcios de duas espécies, rotação, e não exige sequer a proibição de uso de herbicidas. Não por acaso, todas essas importantes e pioneiras pesquisas acadêmicas sobre o trabalho de Ernst têm em comum o fato de terem se preocupado em distinguir aquela agrofloresta das demais. É desse período que herdamos, entre outros, os termos **Agrofloresta Sucessional, Agrofloresta Multiestrato e Agrofloresta Dinâmica**, que mais tarde seriam incorporados por diversas iniciativas vinculadas direta ou indiretamente a Ernst Götsch.

Além dos inconvenientes que a elasticidade do conceito de agrofloresta trazia para a discussão sobre o tema, o próprio Ernst Götsch sempre manifestou sua insatisfação com aquela

---

os princípios da Agricultura Sintrópica. De 2011 a 2020, o material que produzimos em formato de vídeos e textos foi organizado e publicado no site www.agendagotsch.com, de livre acesso ao público, sob a licença *creative commons* de uso não comercial, contribuindo, dessa forma, para a difusão do tema nas novas mídias e estimulando o debate nas redes colaborativas.

concepção por entender que ela não representava o que havia de mais fundamental em sua proposta de agricultura: a observação e a reprodução das dinâmicas dos ambientes naturais. Dinâmicas, aliás, de todos os ambientes naturais e não apenas dos florestais. Ou seja, onde há vida há essa pulsão por trás da qual, em seu entendimento, está a sintropia. O conceito de sintropia já estava presente nos escritos de Ernst desde a década de 1990. Mas foi a partir de 2013 que ele definitivamente adotou Agricultura Sintrópica como a nomenclatura com a qual se sentia mais confortável.

Para nós, que naquela época ainda nos dedicávamos ao trabalho voluntário de difusão das ideias de Ernst Götsch, aquilo parecia ser uma ótima notícia. Achamos que iria facilitar nossa vida ter um nome adequado para designar, de uma vez por todas, aquela agricultura que vinha sempre tão carregada de sobrenomes. Inocência a nossa! Esse batismo desencadeou uma série de questionamentos de um lado e de outro de uma arena, dentro de cujos limites nem sabíamos que estávamos. Fomos bombardeados por dúvidas legítimas e indagações suspeitas como nunca havíamos sido. À parte um ou outro jogo de forças menos digno, esse confronto foi extremamente estimulante para nosso aprofundamento conceitual no tema. Afinal, nós mesmos muitas vezes nos questionamos sobre qual seria o lugar da Agricultura Sintrópica no universo das agriculturas sustentáveis e como ela poderia dialogar com tudo que já vinha sendo produzido nessa área, tanto técnica quanto filosófica, política e academicamente. E assim o fizemos.

Se, por um lado, o dilema com relação à agrofloresta estava relativamente esclarecido, por outro, no campo da **agroecologia**, as fronteiras eram bem mais difusas. Isso se deve em particular à amplitude de usos que o termo agroecologia passou a ter. De ramo da ciência a política pública, de orientação técnica a organização de movimento social, a agroecologia é incorporada por essa multiplicidade de vozes que, se não for compreendida, pode levar a erros de comparação.

No meio científico, por exemplo, a agroecologia foi definida principalmente pelos trabalhos de Miguel Altieri e Stephen R. Gliessman, a partir de cujas obras passou a ser amplamente reconhecida como uma área da ciência que combina métodos da ecologia moderna com os conhecimentos não acadêmicos existentes no meio rural, estes provenientes das tradições e da experiência empírica do trabalho com a terra. De caráter, portanto, fundamentalmente multidisciplinar e inclusivo, a agroecologia pretende trabalhar na concepção, na gestão e na avaliação de agroecossistemas. Essa perspectiva integrativa anuncia a reconciliação de duas áreas que nunca deveriam ter se separado: a ecologia e a agronomia. O divórcio dessas disciplinas aconteceu há muito tempo (desde a década de 1920 já havia pesquisadores propondo, sem grande sucesso, o estudo da ecologia aplicada à agricultura[155]), mas essa tendência divergente ficou marcada, principalmente, no período entre guerras e depois se consolidou com a Revolução Verde na década de 1960.

Hoje, o maior repositório de pesquisas que exploram alternativas ao paradigma da Revolução Verde é encontrado dentro do campo da agroecologia que tem uma sólida produção, principalmente no sul global. Se, por um lado, essas pesquisas constituem um robusto contraponto à ideologia ainda dominante de produção agrícola, por outro lado, nelas não há um uníssono com relação aos métodos, nem é possível dizer que haja um programa definido de práticas e técnicas. Por isso, a não ser que sejam estabelecidos

---

[155] KLAGES, K. H. Crop Ecology and ecological crop geography in the agronomic curriculum 1. *Agronomy Journal*, v.20, n.4, 1928, p.336-53.

parâmetros comparativos específicos, fica difícil fazer um paralelo da agroecologia com outros modelos de uso da terra. De um modo geral, podemos dizer que, pelo fato de a agroecologia integrar considerações sociais e ecológicas na apreciação de um agroecossistema, ela naturalmente se alinha com as práticas tidas como mais socioambientalmente adequadas. No entanto, não há que se falar em um único fazer agroecológico. Longe de ser uma falha, isso é reflexo do importante entendimento de que as soluções, em vez de serem preestabelecidas e verticalmente impostas, têm que ser projetadas para atender às especificidades locais, de preferência com a participação coletiva, tanto na idealização quanto na execução e gestão dos projetos.

Junta-se ainda a essa polifonia da agroecologia seu aspecto social e político. Basta observar como ela também passou a denominar movimentos sociais no meio rural, iniciativas de extensão rural, programas de resgate dos saberes tradicionais, políticas públicas em nível local e internacional, articulações em rede e entidades da sociedade civil. Todas essas frentes organizadas em torno de agendas variadas, tais como soberania alimentar, proteção de sementes, igualdade de gênero e de raça, acesso à terra, acesso à água, direitos das populações tradicionais, povos originários, ribeirinhos, quilombolas, extrativistas etc.

Dada essa abrangência do conceito, a Agricultura Sintrópica, em nosso entendimento, poderia dialogar em diferentes medidas com as diversas vertentes da agroecologia. Em sua faceta científica, a agroecologia pode se ocupar de estudar a Agricultura Sintrópica e avaliar sua aplicabilidade enquanto conjunto de práticas agrícolas que potencialmente atenda aos seus requisitos ecológicos. De forma recíproca, a Agricultura Sintrópica pode se beneficiar grandemente dos múltiplos saberes congregados na agroecologia, bem como do seu potencial de articulação com a sociedade civil. Arriscamos dizer que isso, na verdade, já acontece no dia a dia dos praticantes de Agricultura Sintrópica, em seus contextos específicos. Pois, seja no campo ou na academia, é na agroecologia que a Agricultura Sintrópica costuma encontrar o melhor abrigo.

Permacultura

Para além do perímetro das universidades, e como expoente do circuito alternativo, temos a **permacultura**, um sistema de design integrado que abarca agricultura, arquitetura, ecologia e estratégias de desenvolvimento de comunidades, eficiência energética, gestão integrada de recursos hídricos e manejo de resíduos. Concebida e desenvolvida por David Holmgren e Brune Charles Mollison, o termo permacultura nasce inicialmente da ideia de uma agricultura permanente. Em seu segundo livro[156], escrito em 1979, Mollison faz referência à agricultura natural de Fukuoka, demonstrando certa filiação ideológica aos princípios dessa vertente, por exemplo, com relação à ideia de **cultivo não violento**. No entanto, a abordagem da permacultura nunca se limitou apenas à agricultura, expandindo seus interesses para o design de habitats humanos sustentáveis — e por **design** Mollison entendia ser um planejamento consciente e intencional[157]. Da proposta original da permacultura até os dias atuais essa tendência de expansão de escopo se acentuou com as constantes atualizações vivenciadas pelo conceito ao longo dos anos. Definitivamente

---

156 MOLLISON, B. *Permaculture two: practical design for town and country in permanent agriculture.* Tagari Publications, 1979.

157 MOLLISON, B. *Permaculture: a designer's manual.* Ten Speed Pr., 1988

um caso de sucesso no que diz respeito à difusão e adoção do conceito, a permacultura cresceu e se espalhou pelo mundo, principalmente por meio de seus programas preparatórios de 72 horas de estudos intensivos, conhecidos como PDC (*Permaculture Design Course*). Nesses cursos é abordado um extenso conteúdo programático fundamentado na orientação ética de cuidado com a terra, cuidado com as pessoas, partilha dos excedentes e definição de limites para o consumo. Entre professores, consultores e praticantes, hoje são mais de 22 mil profissionais ao redor do globo, segundo catálogo de um de seus institutos. A permacultura torna-se, portanto, um movimento que inclusive mantém íntima relação com outros movimentos sociais e ambientais, tais como o das ecovilas e das cidades em transição.

A relação da Agricultura Sintrópica com a permacultura é de potencial cooperação. A partir do momento em que a visão da permacultura evoluiu para uma visão de cultura permanente sustentável, a agricultura passou a ser uma das muitas partes que compõem um design permacultural. A ampliação da abordagem da permacultura sugere que modos de produção sustentáveis podem ser incorporados em seus desenhos desde que atendam aos objetivos da permacultura. Dessa forma — e entendendo que a Agricultura Sintrópica é um sistema de uso da terra sem pretensões nos outros campos frequentados pela permacultura — é possível dizer que a Agricultura Sintrópica é um dos modelos de produção sustentável cujas práticas podem ser adotadas dentro de um design permacultural. Isso já acontece em alguns centros de permacultura que adotaram a Agricultura Sintrópica, parcial ou integralmente, como a prática agrícola que se encaixa em seus projetos, sem prejuízo do respeito aos seus princípios[158].

158 DE VRIES, K.; BOTHA, R. Syntropic Agriculture in a Mediterranean context. In: FAO and ITPS.

Agricultura regenerativa

Mais recentemente, a chamada **agricultura regenerativa** tem ganhado destaque. A preocupação com a restauração de solos degradados é um dos pontos centrais dessa abordagem. A origem do conceito é controversa, mas, apesar de não ser inédito desde, no mínimo, 1986, é no início dos anos 2000 que passa a ganhar mais força com as publicações do Instituto Rodale. A partir dali, após ser adotada por diversas iniciativas particulares, vem tendo seus contornos forjados principalmente fora dos meios oficiais de produção de conhecimento, mas com um triplo apelo que lhe garante uma presença marcante no debate atual. O primeiro apelo está intimamente relacionado com o desgaste do conceito de sustentabilidade. Diante da massiva perda de biodiversidade e do esgotamento de recursos naturais, o discurso da agricultura regenerativa se baseia na ideia de que já não basta mais uma agricultura que apenas se sustente ou que seja menos prejudicial ao meio ambiente do que a agricultura convencional e industrial. Seria preciso, segundo essa perspectiva, uma agricultura que tenha a capacidade de regenerar, restaurar e dar nova vida aos ecossistemas que foram degradados. O segundo forte apelo da agricultura regenerativa reside no fato de que a defesa que ela faz de sistemas agrícolas que procuram revitalizar o solo ao invés de esgotá-lo encontrou ambiente propício para sua disseminação nas tão frequentadas discussões sobre mudanças climáticas. Afinal, essa seria uma proposta de mitigação, adequada ao léxico e aos pré-requisitos de muitos financiamentos. O terceiro ponto

---

Recarbonizing global soils — A technical manual of recommended sustainable soil management. Volume 4: Cropland, grassland, integrated systems and farming approaches — Case studies — 2021, p.242-58. Rome.

que certamente catapulta a agricultura regenerativa no cenário mundial é o fato de ela ser majoritariamente produzida no norte global — o que lhe confere privilégio epistêmico — e o fato de ter suas publicações frequentemente em língua inglesa — o que facilita a proliferação pelo mundo digital, hoje principal fonte de conteúdo sobre o tema.

Apesar de não ter uma conceituação definitiva e consensual, é possível identificar algumas das técnicas que seus praticantes e comunicadores costumam promover. Essas seriam: plantio direto, culturas de cobertura, aumento da biodiversidade dos plantios e das pastagens, e a integração de animais e culturas. Apesar de essas práticas não poderem ser consideradas nem inéditas nem exclusivas, alguns proponentes defendem que os limites da agricultura regenerativa transcendem um conjunto de técnicas e incorporam uma nova concepção mais holística do ambiente agrícola. Outros autores ainda defendem que a agricultura regenerativa seria também um movimento social, um sistema de valores e uma filosofia[159].

Essa fluidez conceitual pode ter um caráter positivo na medida em que representa uma noção em plena construção e que atende aos mais atuais anseios, não só de agricultores como da sociedade em geral. Por outro lado, corre-se o risco de esgarçamento do conceito que, se não chega a rompê-lo, exige costuras de reforço. Há, por exemplo, quem já sinta a necessidade de denominar seu plantio de "regenerativo orgânico", uma vez que ser regenerativo não é garantia de ser livre de agroquímicos — basta lembrar que as técnicas de plantio direto muitas vezes requerem o uso de herbicidas (veja "Plantio direto", p. 230). Temos conhecimento

---

[159] Um apanhado geral dessas referências pode ser encontrado em relatório escrito por Charles Merfield — MERFIELD, C. N. An analysis and overview of regenerative agriculture. Report number 2-2019. *The BHU Future Farming Centre*, Lincoln, New Zealan, v.20, 2019.

de projetos que se autodenominam "regenerativos sintrópicos". Não há nisso contradição de termos porque os objetivos que as duas vertentes pretendem alcançar são semelhantes. Mas pode haver um pleonasmo, pois a Agricultura Sintrópica, quando devidamente aplicada, é forçosamente regenerativa. Podemos dizer que toda Agricultura Sintrópica é regenerativa, porém o contrário nem sempre é verdadeiro. Nem toda agricultura regenerativa é sintrópica, principalmente porque na Agricultura Sintrópica não pode ser admitida a interrupção da sucessão natural que, geralmente, acontece nos sistemas regenerativos.

PLANTIO DIRETO

A aração e a gradagem são etapas típicas do preparo de uma área, que consistem em cortar e revirar o solo com o objetivo principal de arejar e afofar a terra. Porém, os prejuízos para o solo associados a essa prática são muitos: erosão, perda de matéria orgânica, compactação de camadas mais profundas (pé de grade), morte da micro e mesofauna, degradação dos agregados etc. O **plantio direto** é uma técnica de cultivo que procura evitar esses impactos por meio da supressão da etapa da preparação da área de cultivo. Dessa forma, é feita uma semeadura diretamente em sulcos sobre os restos vegetais da cultura anterior. Os benefícios seriam, primordialmente, a diminuição dos efeitos da erosão, o aumento da capacidade de retenção de água, menor compactação, além da diminuição dos custos (menos operações dependentes de combustível fóssil). Por outro lado, a aragem e a gradagem, além dos objetivos já mencionados, também cumprem o papel de combater mecanicamente as ervas espontâneas. Suprimindo essa etapa, perde-se também esse esperado benefício. Por conta disso, o plantio direto encontra opositores que argumentam que esse sistema funcionaria apenas como uma salvaguarda para o amplo uso de herbicidas e de sementes

> geneticamente modificadas. Contribui para o acirramento da discussão — tanto para um lado quanto para o outro — o fato de haver um grande espectro de modelos de plantio direto, que vão desde o **zero distúrbio**, passando pelo **distúrbio mínimo**, chegando até o pouco claro conceito de **adequado distúrbio**. De qualquer forma, essa disputa não encontra ressonância dentro da perspectiva da Agricultura Sintrópica, pois nela o preparo do solo só acontece uma única vez. Como o plantio é orientado pela sucessão natural, o sistema nunca vai voltar para a condição anterior ao primeiro plantio, prescindindo, dessa forma, de novos distúrbios.

Agricultura orgânica

Não podemos deixar de falar do grande universo das chamadas **agriculturas orgânicas**. Hoje a agricultura orgânica pode ser entendida como a reunião de uma série de agriculturas com base ecológica que estão associadas a uma certificação de mercado específica, cuja regulamentação varia conforme o país. Estamos falando, portanto, de normas expressas legalmente que determinam a adequação ou não de uma produção agrícola a parâmetros previamente determinados e que culmina em uma certificação que lhe confere um selo distintivo no mercado. Essas regras variam conforme a normatização que as regula, mas, de uma forma geral, é possível dizer que nelas estão listadas práticas permitidas e proibidas, *inputs* aceitos e banidos, bem como uma orientação geral que preconiza a promoção da saúde agronômica, econômica, social e ambiental dos sistemas agrícolas, considerando a biodiversidade, os ciclos biológicos, a fertilidade do solo etc.

Essa orientação ideológica é herança de suas origens que remontam ao início do século XX, quando a agricultura orgânica (de forma organizada) surge como uma alternativa às soluções químicas então emergentes principalmente na Europa e na América do Norte. Curioso observar que ambas as vertentes, tanto aquela que mais tarde desembocaria na agricultura industrial/convencional quanto aquela que se ramificaria nas muitas agriculturas orgânicas, emergem como uma reação a um mesmo fato constatado: o desgaste da fertilidade dos solos. O que as diferenciou logo nos primeiros estágios de desenvolvimento foram as estratégias que cada uma dessas vertentes decidiu usar para enfrentar o problema. De um lado estava a aposta nas novas tecnologias baseadas em biocidas e fertilizantes sintéticos, vindos de fora da unidade agrícola; e, de outro, a prioridade dada às soluções baseadas em *inputs* orgânicos e ciclagem de nutrientes produzidos *in loco*. Elas divergiam também com relação àquilo que consideravam ser o objetivo central a ser alcançado. Para a vertente que aderiu às soluções químicas, o foco principal era o incremento da produtividade; enquanto na vertente orgânica havia também a preocupação com a recuperação do potencial nutritivo dos alimentos, uma vez que a baixa fertilidade dos solos significou não apenas uma queda na produtividade, mas também a diminuição da qualidade daquilo que era produzido (você já leu um pouco sobre isso na seção "Pragas e doenças"). É importante ressaltar que aquilo que hoje conhecemos como agricultura convencional em seus moldes industriais ainda não era predominante naquele momento. Diversos modos de produção coexistiam, ainda sem o assédio da indústria química e sem a propaganda e a pressão politicamente articulada da Revolução Verde.

Um dos resgates bibliográficos mais remotos que podemos fazer da elaboração dos princípios da agricultura orgânica são da década de 1940, com os trabalhos de Albert Howard[160]. De 1905 até 1947, Howard produziu inúmeras publicações, fortemente influenciado pelo intenso contato que manteve no período com as práticas agrícolas tradicionais da Índia e do Paquistão — para onde havia sido enviado a mando do governo inglês. Fosse pela qualidade e quantidade de suas publicações, fosse porque, principalmente naquela época, os discursos oficiais de autoridade prevaleciam hegemonicamente euro-centrados, resulta que, quando o assunto é agricultura orgânica, as publicações de Howard ainda hoje são as referências campeãs de citações no mundo acadêmico.

Antes dos principais escritos de Howard, ainda aconteceram as conferências proferidas pelo filósofo austríaco Rudolf Steiner, a pedido e para um público específico de agricultores ligados à matriz ideológica da antroposofia — doutrina esotérica da qual é fundador e na qual a natureza é entendida como possuidora de dimensões física e espiritual. As transcrições de tais palestras[161], que ocorreram em 1924, apresentam ideias de diversificação, reciclagem de recursos dentro da unidade agrícola, produção e distribuição descentralizada e rejeição aos produtos de origem sintética. Além disso, são enfatizadas as forças formativas do cosmos, os processos rítmicos da vida, o solo como um órgão

---

160 HOWARD, A. *An agricultural testament*. London, New York, Toronto: Oxford University Press, 1940.

161 STEINER, R. *Fundamentos da Agricultura Biodinâmica. 8 palestras dadas en Korberwitz*, 7-16/6/1924, GA (Gesamtausgabe, catálogo geral) 327. Trad. Gerard Bannwart. São Paulo: Antroposófica, 1993.

digestório da planta e possuidor de forças anímicas, bem como o entendimento da fazenda como um organismo. Esse conjunto de premissas constitui as bases da **agricultura biodinâmica**. Também a caracterizam, e a diferenciam das demais práticas orgânicas e ecológicas, o respeito ao calendário agrícola astronômico[162] e o uso dos chamados preparados biodinâmicos — compostos de alta diluição que, segundo essa perspectiva, trabalham na reativação das forças vitais da natureza. Hoje a agricultura biodinâmica tem certificadoras mundialmente reconhecidas e marca registrada que licencia produtores que sigam os padrões estabelecidos por suas instituições.

No início do século XX, a agricultura biodinâmica coexistiu na Alemanha com outras correntes de agricultura orgânica não necessariamente filiadas à sua fundamentação esotérica. Com bases científicas tradicionais, essas outras tendências estavam em parte ligadas aos movimentos *Lebensreform*, os quais propunham um estilo de vida natural e estiveram relacionados com um retorno ao campo testemunhado naquele período. Dentre os teóricos que deram a base científica para esses movimentos destacam-se Heinrich Hopf, que falava sobre uma espécie de lavoura de conservação, Heinrich Krantz, sobre compostagem combinando fermentação anaeróbica e aeróbica, Johannes Schomerus, destacando a importância da cobertura do solo, e Ewald Könemann, que defendia o uso de compostagem e esterco. Aqui vale a pena um pequeno parêntese, para fazer notar que essas propostas de práticas ecológicas, com o devido embasamento científico, já estavam sendo discutidas nos idos do começo do

---

[162] Calendário baseado nos ciclos da Lua e em sua passagem pelas regiões zodiacais, indicando interferências que atuariam sobre o desenvolvimento das diferentes partes de uma planta (raiz, folhas e caules, flores e frutos). Esse calendário foi organizado e traduzido por Maria Thun, aparentemente inspirada nas antigas tradições celtas e germânicas sobre a influência dos astros nos plantios agrícolas.

século XX. Acontece, porém, que, ao saírem de seus laboratórios, essas iniciativas se depararam com um mundo que começava a apostar todas as suas fichas nos combustíveis fósseis e na crescente indústria química. Se é verdade que não há nada mais poderoso do que uma ideia quando é chegado o seu tempo, também é verdade que não há nada mais frágil do que boas ideias quando elas surgem em um contexto não propício ao seu florescimento. Sem financiamentos ou incentivos de qualquer gênero, pesquisas com aquelas abordagens ecológicas entraram na sombra de um ostracismo que hoje custa superar, restando apenas lamentar o tempo perdido.

Apesar disso, de lá para cá, como um belo exemplo de resistência descentralizada, uma série de linhagens do que hoje se convencionou chamar de agricultura orgânica foram criadas, desenvolvidas, derivadas, suplantadas, transformadas e estabelecidas. A maioria dos levantamentos da história da agricultura orgânica dá destaque, principalmente, às agriculturas **biológica**, **natural** e **ecológica**, pois foram esses os termos que estiveram presentes no centro das discussões no meio rural, nos movimentos sociais e ambientais e na ciência, ao longo do século XX.

A **agricultura biológica**, por exemplo, tem como referência os suíços Maria Müller e Hans Peter Müller e se destacou, na década de 1930, por propor técnicas de plantio de capim em rotação com grãos, o resgate de antigas técnicas de compostagem a frio e perturbação mínima do solo. Essas ideias foram mais tarde difundidas por Hans Peter Rusch e, na França, por Claude Aubert, com seu livro *L'Agriculture Biologique* de 1972. O envolvimento de Hans Müller com grupos sociais de camponeses e suas lutas sociais — cujas bandeiras eram a autonomia do agricultor e a comercialização direta ao consumidor — fez com que alguns autores[163] identificassem a agricultura biológica antes como um projeto cultural e filosófico do que como uma proposta técnica. Desde 1985, o selo *agriculture biologique* pode ser encontrado em alguns países da União Europeia rotulando produtos que contenham mais de 95% de componentes orgânicos em sua composição e que foram submetidos a inspeções credenciadas.

Ainda na década de 1930, surgia no Japão a **agricultura natural**. Também conhecida como **agricultura de não ação**, ou ainda **agricultura selvagem**, esse é um conjunto de estratégias originalmente desenvolvidas por Mokiti Okada, cujos experimentos preconizavam a menor alteração possível no funcionamento natural dos ecossistemas como estratégia para enfrentar os problemas de algumas áreas da agricultura japonesa. Os princípios de caráter filosófico-religioso de purificação e respeito à natureza são a base da organização conhecida como Igreja Messiânica, relacionada a essa prática. As técnicas agrícolas da agricultura natural ganharam mais visibilidade e aplicações em diferentes ecossistemas mais tarde, com o reforço e a difusão promovida por Masanobu Fukuoka. Na agricultura natural disseminada por Fukuoka não há preparo do solo, não são usados fertilizantes de nenhuma origem, nem pesticidas, nem capinas ou podas. A vertente de Okada, por sua vez, admite o uso de composto orgânico e a inoculação do solo com **microrganismos eficientes** (E.M., da sigla em inglês)[164], com a função de restabelecer a vida do solo.

---

[163] BESSON, Y. Une histoire d'exigences: philosophie et agrobiologie. L'actualité de la pensée des fondateurs de l'agriculture biologique pour son développement contemporain. *Innovations Agronomiques*, INRAE, v.4, 2009, p.329-62.

[164] Esses E.M. foram selecionados pelo Professor Teruo Higa, da Universidade de Ryukiu, e são difundidos e comercializados pela Igreja Messiânica.

Todo esse passado e conjunto de conhecimento acumulado da agricultura orgânica, no entanto, não é respeitado por uma vertente atual que poderíamos chamar de **agricultura orgânica convencional**, pois ela reproduz muitas das premissas da agricultura nos moldes industriais e negligencia as preocupações que estavam no coração das primeiras vertentes de agricultura orgânica. Na agricultura orgânica convencional, a simples substituição de *inputs* químicos por *inputs* de origem orgânica não muda o fato de que esses sistemas continuam sendo constituídos por monocultivos altamente dependentes de irrigação e de fertilização de origem externa, além de serem tão suscetíveis a desequilíbrios ambientais quanto a agricultura convencional nos moldes industriais. Para os "agentes do departamento de otimização dos processos de vida" pouco importa um selo de certificação se os consórcios, os passos sucessionais e a estratificação não estiverem adequados. Mesmo que pragas e pestes sejam combatidas com biocidas orgânicos em vez dos sintéticos, ainda assim isso continua sendo a manifestação de uma mentalidade que quer combater ou manter externa as dinâmicas naturais. Como consequência da mesma mentalidade, deficiências nutricionais são compensadas pelo constante uso de adubo orgânico — seja ele produzido localmente ou resultado de mineração externa.

A ineficiência agronômica de plantios nesses modelos acaba por depor contra todo o movimento das agriculturas alternativas, além de gerar uma perniciosa pressão pela flexibilização das regras da certificação orgânica. Com poucas exceções pelo mundo, as regulamentações da produção orgânica tendem a não impor requisitos concretos para a gestão do solo, da água e da biodiversidade[165]. Nessas normatizações a lista de insumos proibidos e/ou permitidos costuma receber expressão minuciosa e detalhada, enquanto para o manejo de resíduos, a irrigação e a interação com os ecossistemas restam apenas orientações baseadas em um objetivo geral, sem instruções operativas ou obrigatoriedades monitoradas. Ou seja, alguns objetivos são vagamente enunciados, sem explicação sobre como atingi-los, nem exigência de seu cumprimento.

Os consumidores têm um papel importante na definição dessas regras. Por isso seria bom que o grande público entendesse que, na melhor das hipóteses, a produção da agricultura orgânica convencional pode resultar em alimentos com menos resíduos contaminantes, o que é bom para os seres humanos que os consomem. Mas o mesmo não pode ser dito com relação a todas as outras vidas do ecossistema, que ficam com a indigesta tarefa de lidar com os resíduos dessa produção. E, se não é bom para todos, a longo prazo não será bom para ninguém.

Agriculturas tradicionais

Povos tradicionais (e nessa categoria incluímos todas as culturas ancestrais com tradição agrícola), em muitos casos, demonstram-se exímios administradores da paisagem e profundos conhecedores de complexas relações ecológicas que ultrapassam os limites descritivos da ciência ocidental moderna.

---

[165] SEUFERT, V.; RAMANKUTTY, N.; MAYERHOFER, T. What is this thing called organic? — How organic farming is codified in regulations. *Food Policy*, v.68, 2017, p.10-20.

Além disso, costumam ser detentores de cosmologias capazes de articular todo esse conhecimento de modo a conseguirem manejar, de maneira relativamente harmônica, seus modos de vida com o ambiente em que se inserem. No entanto, é impossível generalizar a gigantesca diversidade de povos indígenas, culturas ancestrais e tradições rurais. Qualquer aproximação, portanto, precisa ser localizada e com os traços específicos bem delineados para que tenha alguma validade. Poderíamos, por exemplo, comparar os sistemas agroflorestais dos indígenas ameríndios e, nesse sentido, debateríamos sua resiliência no contexto dos chamados sistemas agrícolas florestais do qual fazem parte, e que são anteriores aos sistemas de campo aberto ou pós-florestais, segundo definições de Mazoyer e Roudart[166]. Mas entendemos que, para uma apreciação responsável sobre os modos de cultivo desses povos, precisaríamos também considerar os seus estilos de vida, práticas rituais, meios de equilíbrio populacional, regimes de controle social sobre recursos, entre outros fatores interdependentes em cada contexto. Aqui não temos a pretensão de dar conta desse tema na profundidade que ele merece, nem queremos ser a voz que fala em nome de outros. Povos originários e povos escravizados devem ser ouvidos por sua própria voz, devem ser respeitados pela sua história de resistência, devem ter direitos protegidos e dívidas reparadas. Antes que isso se resolva, não há aqui qualquer outro assunto prioritário.

Pelos relatos de Ernst Götsch — como nos episódios da gazela (seção "Relação predador-presa") e da poda do cacau (seção "Podas drásticas") — é incontestável a influência que o conhecimento

---

[166] MAZOYER, M.; ROUDART, L. *História das agriculturas no mundo: do neolítico à crise contemporânea*. São Paulo: Editora Unesp, 2010.

de povos tradicionais teve sobre suas conclusões acerca das dinâmicas naturais. Embora a simetria não seja exata, há traços evidentes de saberes indígenas naquilo que mais tarde viria a compor sua Agricultura Sintrópica.

Sustentabilidade

O refrão "sustentabilidade econômica, social e ambiental" pode até ter ficado na ponta da língua de muitos, mas sua eficácia, geralmente, é tão frágil quanto a de uma lista de desejos ou de promessas. Não por acaso, o pensador e líder indígena Ailton Krenak incomodou tanto quando declarou em entrevista que "vida sustentável é vaidade pessoal"[167]. Ciente que é do rastro de destruição que nossa civilização tem deixado pelo caminho, Krenak questionava a precariedade dos usos que se tem dado ao conceito de sustentabilidade e os riscos de nos contentarmos com tão pouco. Aqueles que construíram suas carreiras sobre esse conceito e que têm a sustentabilidade como título em seus cartões de visitas acharam difícil de engolir a provocação de Krenak. Mas ela não é sem fundamento. Muitas outras pessoas, em muitas outras ocasiões, também problematizaram o conceito de sustentabilidade. Mas para nós é especialmente curioso averiguar a visão de Ailton, pois ele é um Krenak, povo originário de tradição caçadora e coletora. Ou seja, em sua visão de mundo, a agricultura não é um fator inevitável como o é para nossa civilização ocidental hegemônica. Sob a perspectiva de uma comunidade caçadora e

---

167 SANTANA, F. "Vida sustentável é vaidade pessoal", diz Ailton Krenak. *Correio*, 25 jan. 2020. Disponível em: https://glo.bo/35ZZ3np.

coletora, a agricultura não é algo inescapável, de modo que eles, teoricamente, têm menos recalques para questionar a maneira como ela vem sendo produzida desde seu surgimento e têm mais liberdade para considerar que esse caminho pode não ter sido a melhor escolha. Para nós esse exercício é bem mais difícil, pois significaria admitir que aquilo que deu sustentação a toda nossa civilização tem um erro fundamental de origem e, em última instância, isso nos obrigaria a rever muita coisa e em muitas dimensões. É tanta roupa suja para lavar que, às vezes, parece ser mais fácil apenas passar um pano e borrifar um perfume. O *greenwashing* — ou **lavagem verde** —, em suas mais variadas formas e níveis, percorre iniciativas, pauta discursos e limita imaginários. Certamente isso é algo a ser combatido com vigor. Mas, ao mesmo tempo, a discussão sobre o conceito de sustentabilidade tem desdobramentos na determinação de tratados internacionais, na promoção de políticas públicas, no acesso a recursos e na elaboração de estratégias e programas voltados para a área da alimentação e da agricultura. O dilema, portanto, fica entre abandonar o conceito de sustentável por conta de seu esvaziamento ou fincar o pé e reivindicar melhores usos para ele. É preciso definir se a melhor estratégia seria descartar essa sustentabilidade rota e desgastada e colocar outro conceito em seu lugar (que estará sempre vulnerável ao mesmo desgaste com o tempo), ou se seria melhor enfrentar esse jogo de forças, exigindo e ajudando a compor contornos mais adequados para esse conceito, já que ele faz parte dos mais importantes acordos globais da atualidade. Afinal, esse também é um debate político e nós precisamos decidir se vamos fazer parte dele, contribuindo com outras vozes, ou se simplesmente vamos perder a disputa por W.O.

A própria evolução do termo expõe suas contradições. O conceito de sustentabilidade ganhou a agenda global principalmente com a publicação do relatório Brundtland sobre desenvolvimento sustentável[168]. Ali já estavam incluídas as três tão propaladas dimensões da sustentabilidade: social, econômica e ambiental. Mais tarde, o conceito é retomado em relatório do Banco Mundial[169], agora com destaque para a responsabilidade intergeracional, ou seja, o compromisso da atual geração de assegurar às futuras gerações o acesso aos mesmos recursos que hoje manejamos. Essa justiça intergeracional, portanto, carrega a sustentabilidade de um valor moral. As definições sobre o que seria uma sociedade sustentável inauguram novas dimensões no debate, incluindo aspectos culturais e políticos que ajudam a relativizar as diferentes responsabilidades sociais, já que os povos e países mais afetados pelas mudanças climáticas em geral coincidem com aqueles que menos contribuíram para esse estado das coisas. Ou seja, é um debate com muitas implicações. Abster-se, ou desviar da discussão, sugerindo uma simples substituição de termo, pode significar uma omissão fatalmente irresponsável.

Afinal, qual é a resposta definitiva?

Ao transitar por toda essa constelação de modelos de agriculturas, percebemos que ora elas são delineadas por um conjunto de práticas, ora por conjuntos de conceitos amplos

---

168 [WCED] WORLD COMMISSION ON ENVIRONMENT AND DEVELOPMENT. *Our Common Future.* Oxford University Press, 1987.

169 ASHEIM, G. B. *Sustainability: ethical foundations and economic properties.* World Bank Policy Research Working Paper 1302, 1994.

e, às vezes, ainda, por orientações que regulamentam mercados. Algumas propostas são operativas, outras se constituem mais como orientações fundamentadas em valores. Há aquelas propostas que compartilham os mesmos objetivos principais, mas divergem na maneira como pretendem atingi-los. Muitas vertentes falam em princípios, sendo que a maneira por meio da qual esses princípios serão respeitados, por vezes, é expressa em um guia técnico, noutras em um guia moral. Se não estivermos obliterados pela vaidade pessoal nem enviesados pela defesa de uma "franquia", não cometeremos o erro de nos perder na discussão tentando achar uma vertente que seja a resposta definitiva. Entre pontos fortes e fracos, todas compõem um histórico de resistência, cujo esforço merece ser reconhecido. Por trás de cada uma delas há pessoas com a saudável inquietação de fazer diferente e fazer melhor. Reconhecer isso nos coloca em um ponto de encontro a partir do qual podemos vislumbrar que essa multiplicidade é também um indício de que uma discussão responsável sobre agricultura exige a inclusão da dimensão humana e cultural.

Muitas iniciativas de agricultura com bases ecológicas, com ótimos resultados e melhores ainda intenções, caem na armadilha de se apresentar como soluções definitivas, como um pacote, como uma receita e uma proposta final. Mas todas elas falham, não porque não têm respostas, mas porque fazem parecer que a resposta inteira está em apenas um setor. Não está. A solução para uma sociedade disfuncional não pode estar nas costas do agricultor. A maneira como decidimos nos organizar socialmente, o que decidimos priorizar e a que decidimos dar valor de modo coletivo têm íntima relação com o tipo de agricultura que, lá atrás, decidimos fazer. Não podemos exigir que o agricultor de hoje, acossado pela sociedade e pressionado pelas condições ambientais, seja o único responsável por todas as mudanças pelas quais precisamos passar. Aqueles que hoje assumem os riscos e os custos das inovações no campo não encontram incentivos nem respaldo para continuarem nessa jornada — e não deveriam ser os únicos empenhados nisso. Somos coletivamente responsáveis e deveríamos estar também, de forma coletiva, em busca não de uma resposta definitiva, mas sim de soluções para transformarmos a agricultura que diariamente nos transforma.

ANEXO 2:

Princípios da Agricultura Sintrópica

por Ernst Götsch

"TAO" para nossa compreensão da vida

(alternativa ao nosso conceito atual, no que diz respeito à vida)

É concebido sob a forma de um compêndio, composto por 15 princípios. Proposições, conclusões, resultantes de décadas de questionamento — e tentando criar alternativas ao nosso conceito atual, sobre a vida e a natureza. Além daquele anterior, algumas reflexões, e também como agir, para que a nossa participação se torne útil e benéfica para todos os seres submetidos e afetados por nossas interações.

Paralelamente a isso, sempre me esforcei para pôr em prática o conteúdo de minhas conclusões, fazendo inúmeras experiências, a fim de testar a validade de minha hipótese: primeiro na Europa Central e, há 40 anos, continuando fazendo o mesmo, mas principalmente nos trópicos.

Em 1992, comecei a escrever em palavras e a projetar em numerosas figuras aquelas minhas conclusões, que me pareceram significativas para nossa questão. A partir de então — *há 27 anos* —, esses princípios se transformaram em diretrizes rígidas para todas as minhas interações; isto é, como agricultor, trabalhando com o ciclo da água, solo, plantas e animais. E isso aplicando-os, realizando-os nos mais diversos contextos, em relação a vegetação, textura e composição do solo; bem como em termos de condições climáticas, nos lugares onde tenho ou tive o privilégio de participar, de lugares áridos, subdesérticos a floresta tropical úmida; e do nível do mar até áreas em grandes altitudes.

O foco principal, durante meus mais de 60 anos de constante e intenso envolvimento profissional, sempre foi — muitas vezes começando com os chamados "solos pobres" — a alcançar, combinando alta produtividade dos "meus" ecossistemas agrícolas, com o vigor e saúde de "minhas" plantas e animais e, ao mesmo tempo, obter um equilíbrio positivo, considerando a vida estabelecida, bem como energicamente.

Questionando e testando, de novo e de novo, lutando para entender o "porquê" e o "como", e para entrar em acordo com muitas contradições entre nosso conhecimento estabelecido e o mundo real. E, então, traduzir isso em ação, e, isso de certo modo, ser capaz de transformar nossa atividade de cultivar comida em um empreendimento alegre, realizando-a movidos pelo prazer interno, e chegar a um ponto de nos tornarmos úteis para o ecossistema no qual intervimos, e sermos benéficos para todos os que são submetidos e afetados por nossas interações.

Esses princípios, quando compreendidos e depois postos em prática em nossos esforços para obter alimentos abundantes e de melhor qualidade, como um dos efeitos de nossas interações com o reino das plantas, permitem-nos:

» obtê-los a baixo custo, material e energeticamente;
» fazê-lo em harmonia com a natureza; e
» ter como resultado que nossa atividade realmente se torne benéfica, para o agricultor, para o ecossistema e para todos os demais influenciados por nossa operação.

Além disso, adotando o que eu sugiro em nossa prática, chegaremos a uma agricultura baseada em processos, na qual o maior insumo externo necessário para fazê-la funcionar será o conhecimento. Conhecimento em microbiologia, micorriza, biologia do solo, ciclo da água, propriedades ecofisiológicas e sociologia de plantas e animais tratados etc., etc. E, por último, mas não menos importante, ética: ponha em prática, em toda a nossa interação, os princípios do amor incondicional e da cooperação, e vivendo de acordo com o dito do "imperativo categórico".

O resultado de trabalhar em harmonia com a natureza, voltando a ser uma parte "*útil*" e "cocriador", e, ao mesmo tempo, não mais "comandante-chefe", gera em quem consegue colocá-lo em prática uma sensação de alegria profunda. Alegria por ter retornado aos braços e cuidados da mãe Terra.

Em segundo lugar, para os educadores:

O conteúdo e as afirmações que compõem esses princípios mencionados aqui podem ter propriedades que para muitos professores podem parecer bastante estranhas, ou pelo menos "incomuns", ou, digamos, derivadas de um universo dissimilar do que somos parte. Apesar disso, peço-lhes, antes de rejeitar tudo de uma vez, para tentar pelo menos compreender e, talvez mais tarde, perceber toda a gama de ideias e deduções que, afinal, trouxeram-me para este novo mundo: um mundo de harmonia, de paz. O mundo da vida.

Eu recomendo considerar que nosso modo de perceber, muitas vezes, é fortemente influenciado pelo que vemos olhando em nosso espelho, e menos por aquilo que está presente ao nosso redor, o mundo real. Isso acontece, principalmente, por acreditarmos que estamos agindo — e por nos convencermos e nos comportarmos de acordo — como se fôssemos "espécies inteligentes". (Nós somos? Ou, modestamente, somos apenas parte de um sistema inteligente?) Essa crença acima mencionada e, por consequência, nosso comportamento resultante disso, torna-nos sujeitos a nos comportarmos com ausência de interesse pelo que é exterior e, em consequência, compilamos o que vemos, olhando em nosso espelho, a um quadro axiomático, chamado "verdades" e "fatos", sobre o qual não raramente se baseiam as crenças e comportamentos de sociedades e civilizações inteiras.

Uma dessas "verdades", "fatos", é que as relações intra e interespecíficas da vida são baseadas na concorrência e na competição fria. E isso tudo porque nós, como indivíduos e espécie, agimos principalmente seguindo esse padrão (de competição e concorrência fria). As consequências resultantes disso, "erro cometido em nossa interpretação das leis naturais", foram razão direta e indireta — e ainda são! — para muitos problemas, que muitas vezes causaram (e causam) sofrimentos profundos, ou levam, ou levaram ao desaparecimento de civilizações inteiras.

Nós realmente sabemos disso, mas, por não estarmos prontos — ou talvez não sendo capazes de querer (?) pagar o preço sobre o que sabemos e o que deveríamos fazer —, preferimos ignorá-lo.

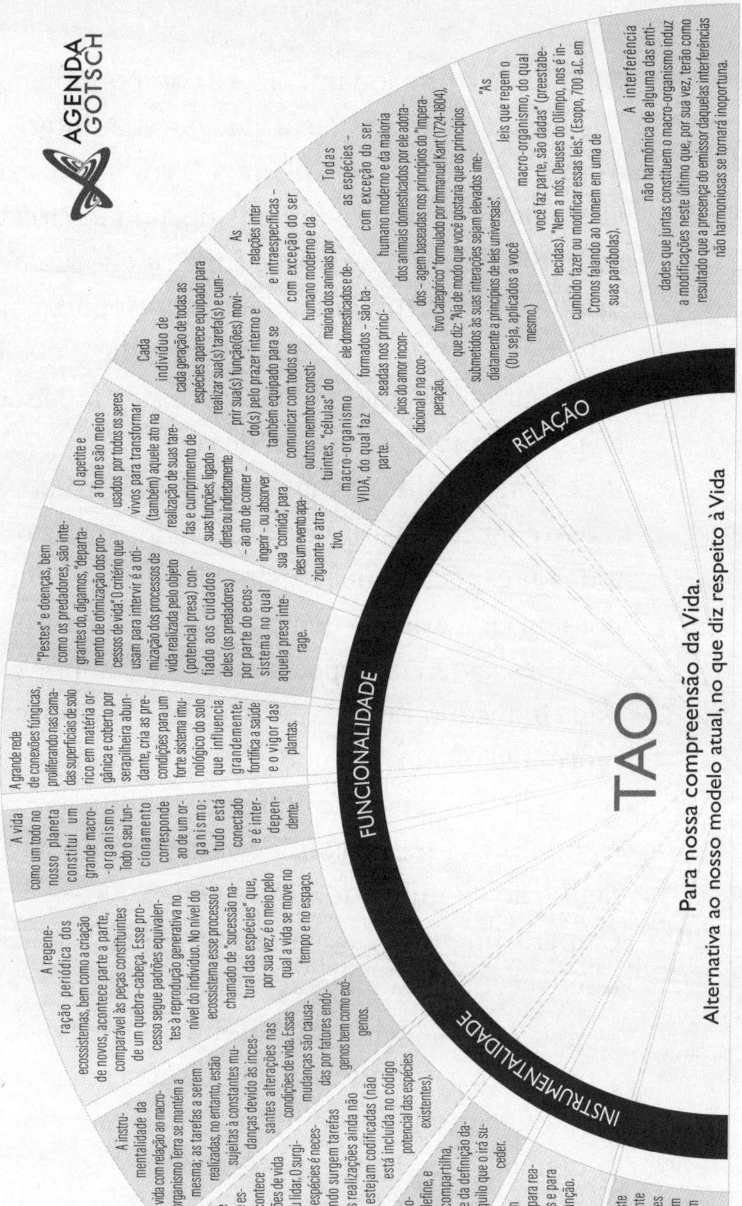

Figura 7
Representação gráfica dos princípios da Agricultura Sintrópica — por Ernst Götsch.

Fonte: Ernst Götsch. Disponível em: https://agendagotsch.com/pt/syntropic-farming-principles-by-ernst-gotsch/

AGENDA GÖTSCH

TAO

Para nossa compreensão da Vida.
Alternativa ao nosso modelo atual, no que diz respeito à Vida

Ernst Götsch

RELAÇÃO

FUNCIONALIDADE

INSTRUMENTALIDADE

— A interferência não harmônica de alguma das entidades que juntas constituem o macro-organismo induz a modificações neste último que, por sua vez, terão como resultado que o emissor daquelas interferências não harmoniosas se tornará inoportuna.

— "As leis que regem o macro-organismo, do qual você faz parte, são dadas" (preestabelecidas). "Nem a nós, Deuses do Olimpo, nos é íncumbido fazer ou modificar essas leis". (Esopo, 700 a.C. em Cronos falando ao homem em uma de suas parábolas).

— Todas as espécies – com exceção do ser humano moderno e da maioria dos animais domesticados por ele adotados – agem baseados nos princípios do "Imperativo Categórico" formulado por Immanuel Kant (1724-1804), que diz: "Aja de modo que você gostaria que os princípios submetidos às suas interações sejam elevados imediatamente a princípios de leis universais". (Ou seja, aplicados a você mesmo.)

— As relações interespecíficas e intraespecíficas – com exceção do ser humano-membro constituintes, "células" do VIDA, do qual faz parte. do(s) pelo prazer interno e também equipado para se comunicar com todos os outros membros constituintes, "células" do macro-organismo – ele domesticados de formados – são baseadas nos princípios do amor incondicional e na cooperação.

— Cada indivíduo de cada geração de todas as espécies aparece equipado para realizar sua(s) tarefa(s) e cumprir sua(s) função(ões) movido(s) pelo prazer interno e também equipado para se comunicar com todos os outros membros constituintes, "células" do macro-organismo, do qual faz parte.

— O apetite e a fome são meios usados por todos os seres vivos para transformar (também) aquele ato na realização de suas funções. O critério de otimização dos processos de vida realizada pelo objeto (potencial presa) confiado aos cuidados deles (os predadores) por parte do ecossistema no qual aquela presa interage. — ao ato de comer – ingerir – ou absorver sua "comida", para eles um evento aprazíguante e atrativo.

— "Pestes" e doenças, bem como os predadores, são integrantes do, digamos, "departamento de otimização dos processos de vida". O critério de otimização dos processos de vida realizada pelo objeto (potencial presa) confiado aos cuidados deles (os predadores) por parte do ecossistema no qual aquela presa interage.

— A grande rede de conexões fúngicas, proliferando nas camadas superficiais de solo rico em matéria orgânica e coberto por serapilheira abundante, cria as precondições para um forte sistema imunológico do solo que influencia grandemente, fortifica a saúde e o vigor das plantas.

— A vida como um todo no nosso planeta constitui um grande macro-organismo. Todo o seu funcionamento corresponde ao de um organismo: tudo está conectado e é interdependente.

— A regeneração periódica dos ecossistemas, bem como a criação de novos, acontece parte a parte, comparável às peças constituintes de um quebra-cabeça. Esse processo segue padrões equivalentes à reprodução generativa no nível do indivíduo. No nível do ecossistema esse processo é chamado de "sucessão natural das espécies" que, por sua vez, é o meio pelo qual a vida se move no tempo e no espaço.

— A instrumentalidade da vida com relação ao macro-organismo terra se mantém a mesma; as tarefas a serem realizadas, no entanto, estão sujeitas a constantes mudanças devido às incessantes alterações nas condições de vida. O surgimento de novas espécies é necessário quando surgem tarefas cujas realizações ainda não estejam codificadas, mas, por parte da definição daquilo que o irá suceder. está incluída no código potencial das espécies existentes.

— O aparecimento de novos genótipos de espécies já existentes acontece por alterações nas condições de vida com as quais precisou lidar. O surgimento de novas espécies é necessário quando surgem tarefas cujas realizações ainda não estejam codificadas, mas, por meio do seu metabolismo, modifica as condições, faz parte da definição daquilo que o irá suceder.

— Cada indivíduo, de cada geração de cada espécie aparece pré-condicionado pelo que o precedeu. Com sua chegada, nesse sentido compartilha, faz parte da definição daquilo que o irá suceder.

— Percebendo a vida da maneira supradescrita, observaremos o conceito instrumental e funcional na existência de todas as espécies que já apareceram, bem como nas que possam vir a existir: cada espécie que aparece, o faz para realizar suas tarefas específicas e para cumprir sua função.

— Estudando o funcionamento e o comportamento da vida neste planeta, e também a vida em suas interações e em sua relação com o Planeta Terra, este último visto como um macro-organismo, digamos, podemos claramente atribuir-lhe características funcionais, digamos, propriedades "instrumentais" e, assim sendo, como parte integrante de um instrumento que o Planeta Terra criou para si mesmo, a fim de realizar sua estratégia sintrópica "complexificadora" e ser.

ANEXO 2 | Princípios da Agricultura Sintrópica por Ernst Götsch

I. Estudando o funcionamento e o comportamento da vida neste planeta, e também a vida em suas interações com e em sua relação com o planeta Terra, sendo este último visto como um macro-organismo, podemos claramente atribuir-lhe características funcionais, digamos, propriedades "instrumentais", e, assim sendo, como parte integrante de um "instrumentário", que o planeta Terra criou para si mesmo, a fim de realizar sua estratégia sintrópica "complexificadora" de ser.

II. Percebendo a vida da maneira supradescrita, observaremos o conceito instrumental e funcional na existência de todas as espécies que já apareceram, bem como nas que possam vir a existir: cada espécie que aparece o faz para realizar suas tarefas específicas e para cumprir sua função.

III. Cada indivíduo, de cada geração, de cada espécie aparece precondicionado pelo que o precedeu. Com sua chegada, por meio de seu metabolismo, modifica seu entorno e codefine, e nesse sentido compartilha, faz parte da definição daquilo que o irá suceder.

IV. O aparecimento de novos genótipos de espécies já existentes acontece por alterações nas condições de vida com as quais precisou lidar. O surgimento de novas espécies é necessário quando surgem tarefas cujas realizações ainda não estejam codificadas (não estão incluídas no código potencial das espécies existentes).

V. A instrumentalidade da vida com relação ao macro-organismo Terra se mantém a mesma; as tarefas a serem realizadas, no entanto, estão sujeitas a constantes mudanças devido às incessantes alterações nas condições de vida. Essas mudanças são causadas por fatores endógenos, bem como exógenos.

VI. A regeneração periódica dos ecossistemas, bem como a criação de novos, acontece parte a parte, comparável às peças constituintes de um quebra-cabeça. Esse processo segue padrões equivalentes à reprodução generativa no nível do indivíduo. No nível do ecossistema esse processo é chamado de "sucessão natural das espécies" que, por sua vez, é o meio pelo qual a vida se move no tempo e no espaço.

VII. A vida como um todo no nosso planeta constitui um grande macro-organismo. Todo o seu funcionamento corresponde ao de um organismo: tudo está conectado e é interdependente.

VIII. A grande rede de conexões fúngicas, proliferando nas camadas superficiais de solo rico em matéria orgânica e coberto por serapilheira abundante, cria as precondições para um forte sistema imunológico do solo que influencia grandemente, fortifica a saúde e o vigor das plantas.

IX. "Pestes" e doenças, bem como os predadores, são integrantes do, digamos, "departamento de otimização dos processos de vida". O critério que usam para intervir é a otimização dos processos de vida realizada pelo objeto (potencial presa) confiado aos cuidados deles (os predadores) por parte do ecossistema no qual aquela presa interage.

X. O apetite e a fome são meios usados por todos os seres vivos para transformar (também) aquele ato na realização de suas tarefas e cumprimento de suas funções, ligado — direta ou indiretamente — ao ato de comer, ingerir, ou absorver sua "comida", para eles um evento apaziguante e atrativo.

XI. Cada indivíduo de cada geração de todas as espécies aparece equipado para realizar sua(s) tarefa(s) e cumprir sua(s) função(ões) movido pelo prazer interno e também equipado para se comunicar com todos os outros membros constituintes, "células" do macro-organismo "VIDA" do qual faz parte.

XII. As relações inter e intraespecíficas — com exceção do ser humano moderno e da maioria dos animais por ele domesticados e deformados — são baseadas nos princípios do amor incondicional e da cooperação.

XIII. Todas as espécies — com exceção do ser humano moderno e da maioria dos animais domesticados por ele adotados — agem baseadas nos princípios do "imperativo categórico" formulado por Immanuel Kant (1724-1804), que diz: "Aja de modo que você gostaria que os princípios submetidos às suas interações sejam elevados imediatamente a princípios de leis universais". (Ou seja, aplicados a você mesmo.)

XIV. "As leis que regem o macro-organismo, do qual você faz parte, são dadas" (preestabelecidas). "Nem a nós, deuses do Olimpo, nos é incumbido fazer ou modificar essas leis" (Esopo 700 a.C., em Cronos falando ao homem em uma de suas parábolas).

XV. A interferência não harmônica de alguma das entidades que juntas constituem o macro-organismo induz a modificações neste último que, por sua vez, terão como resultado que a presença do emissor daquelas interferências não harmoniosas se tornará inoportuna.

FSC
www.fsc.org
MISTO
Papel produzido
a partir de
fontes responsáveis
FSC® C133282

Esta obra foi composta em Utopia Std 12 pt e impressa em
papel polen natural 70 g/m² pela gráfica Paym.